공저자 소개

다라
(DARA)

AI 아티스트

- 따능스쿨 전문가 과정 1기
- AI 콘텐츠 강사과정 수료
- AI 아티스트 클럽 AIAC 운영진
- AIAC 6th 전시디자인
- 예술고등학교, 미술대학교 졸업
- ENTA 선정 AI 아티스트

지영
(chiyoneei)

AI 아티스트

- 따능스쿨 전문가 과정 1기
- 디지털문해교육사 2급 취득
- 뤼튼 프롬프톤 지도자 자격 취득
- 원격교육전문가, 커리어코칭지도사, 교육심리지도사 자격 취득

토리영
(나혜영)

AI 아티스트, 중,고등학교 미술교사

- 따능스쿨 전문가 과정 1기
- 교원자격증 1,2정
- 아마존 동화책 작가
- 캔바 디지털콘텐츠협회 지국장
- 캔바디지털콘텐츠 1,2급 자격증
- AIAC 6th 전시 및 도록 제작 참여

따능이
(Warmtalent)

AI 아티스트, 공학박사, 연구원, 따뜻한 능력자

- 따능스쿨 대표
- 10회 이상의 AI art 전시 기획
- 30회 이상의 국내·외 전시 참여 작가
- 50회 이상의 온·오프라인 AI 아트 강의 진행
- 70개 이상의 AI 아트 작품 판매
- 다수의 외주 프로젝트 참여

루미나린
(Yu Jina Choi)

노래하는 AI 아티스트

- 따능스쿨 전문가 과정 1기
- AIAC 6th 전시 참여
- 아트불갤러리 청담 '미인전' 전시 참여
- KCA 아카데미 AI ART 과정 수료
- 생성형 AI 활용 기초 교육 과정 수료
- (사)국제인공지능윤리협회 인증 공식

미디
(MIDI)

AI 아티스트, 스토리텔링석사, 미디어트대표

- 따능스쿨 전문가 과정 1기
- 시각미디어디자인과 겸임교수
- 시청자미디어재단 미디어 강사
- AI를 활용한 그림 전시 2회 참여
- AI를 활용한 공연배경영상 다수 외주제작
- 13년 이상 문화예술콘텐츠 기획 및 제작자

AI 아티스트 가이드북:

미드저니(Midjourney)의 정석

AI 아트의 시작은 "따능스쿨"에서
https://warmtalentschool.com

업글아이
(최금선)

AI 아티스트, AI 교육전문가, 디지털역량교육강사

- 따능스쿨 전문가 과정 1기
- 챗GPT & 생성형 AI 교육
- KCA 아카데미 다수 과정 수료
- 온/오프라인 500회 이상의 강의 경력
- 교보문고, 알라딘, yes24 ISBN 동화책 작가
- AIAC 6th 전시 참여

이도혜
(Lee Do Hye)

AI 아티스트, 한국AI콘텐츠연구소 대표

- 디지털 융합교육원 지도교수
- 국제컨설턴트협회 부회장
- 한국메타버스ESG연구원 전문위원
- 중소상공인 SNS마케팅지원협회 부회장
- 과기부인가 4차산업혁명연구원 선임연구원
- 한성대 지식서비스&컨설팅대학원

힐토
(Park Seung Hee)

AI 아티스트

- 따능스쿨 전문가 과정 1기
- 따능스쿨 아마존 데뷔 과정 1기
- AIAC 6th 전시 참여
- 생성형 AI 활용 캐릭터 디자인 공모전 참여
- 제1회 경상북도 국제 AI영화제 공모전 참가
- 오프라인 강사 도전

DAMe
(Draw Another Me)

AI 아티스트, IT 개발자

- 따능스쿨 전문가 과정 1기
- 한중일 AI 르네상스 전시 참여
- 충남 생성형 AI 디지털 아트 대전 참가
- AI Art 온/오프라인 전시 다수 참여
- 2023 세계의 NFT 국제전 기획 및 전시
- AI 아티스트 그룹 특별 초대전 기획 및 전시

목 차

Chapter #1

생성형 AI 이야기

Chapter #1 생성형 AI 이야기

1.1 창조의 시작, AI와의 동행

- 생성형 AI의 기원은 인공지능 연구의 초기 단계로 인간처럼 생각하고 문제를 해결할 수 있는 컴퓨터의 개발부터 시작되었습니다. 그러나 생성형 AI의 등장과 이 시스템들은 단순히 복잡한 수학 공식의 해결이 아닌 스스로 새로운 것을 창조하는 시스템으로 발전하기 시작하였습니다.

예로 계산기와 예술가의 차이를 이야기해보겠습니다. 계산기는 주어진 지시에 따라 숫자를 계산하는데 탁월하지만 예술가는 자신의 상상력을 탐험하여 사람들의 감정을 움직이는 예술 작품을 창조합니다. 생성형 AI는 기술 세계 안에서의 예술가와 같습니다. 많은 정보를 가져와 학습하고 그것을 토대로 시를 쓰거나 멋진 이미지를 생성하거나 하는 등의 새로운 것들을 창조합니다.

이제 AI와의 작업은 단순히 도구를 사용하는 것이 아닌 상상 속에만 펼쳐졌던 우리들의 이야기를 다양한 방식으로 표출하게 만드는 창의적인 친구가 되었습니다. 그들은 우리에게 새로운 아이디어를 제공하고 우리의 창의적 작업을 향상시키며 우리가 전에 가보지 않았던 상상의 세계, 예술의 세계로 향하게 합니다. 앞으로 많은 거대한 AI의 발전과 함께 새로운 창의성의 물결들이 다가올 것입니다. 여러분은 그 거대 물결에 함께 하기를 희망하시나요? 여러분이 만들어 갈 아름다운 이야기가 이 책과 함께 하길 바랍니다.

1.2 미드저니란?

- 미드저니는 텍스트 기반 프롬프트를 사용하여 이미지를 생성하는 AI 기반의 이미지 생성 도구입니다. 즉, 비주얼 이미지를 만드는 생성형 AI 프로그램입니다. 쉽게 말하면 단어를 그림으로 바꾸는 마법 같은 예술의 조수와 같다고 할 수 있습니다. 예로 당신이 성 위를 날아다니는 용을 그려달라고 하면 그 장면의 이미지를 AI가 학습하여 만들어 냅니다.

- 미드저니는 다양한 버전을 거쳐 발전해 왔고, 각각의 업데이트를 통해 이미지 품질과 기능성이 향상되었습니다. 미드저니는 다른 플랫폼과 달리 디스코드 봇을 통해 접근할 수 있다는 것이 특징입니다. 아티스트, 광고업계 종사자, 건축가 등 다양한 분야의 전문가들이 아이디어 시각화, 콘텐츠 제작 등에 이를 활용하고 있습니다.

- 미드저니의 이런 다양한 활용에도 불구하고, AI가 예술가의 일자리에 미치는 영향과 부적절한 콘텐츠 생성 가능성 등으로 인해 논란의 여지가 있지만 많은 사람들은 새롭고 독특한 예술을 만드는 멋진 방법인 AI아트에 대해 많은 관심을 가지고 있습니다. 그 중심에 미드저니가 있습니다. 챕터2에서는 미드저니의 가입부터 기본 이미지 생성 등에 대해 알아보도록 하겠습니다.

Chapter #2

미드저니의 기초다지기

Chapter #2 미드저니의 기초다지기

2.1 초보자를 위한 미드저니 입문 및 가입

- 미드저니는 다른 앱들과 달리 미드저니의 플랫폼인 디스코드 (discord.com)를 통해 가입을 합니다.
  구글에서 "discord"를 검색해서 찾고 빨간색 부분을 클릭합니다.

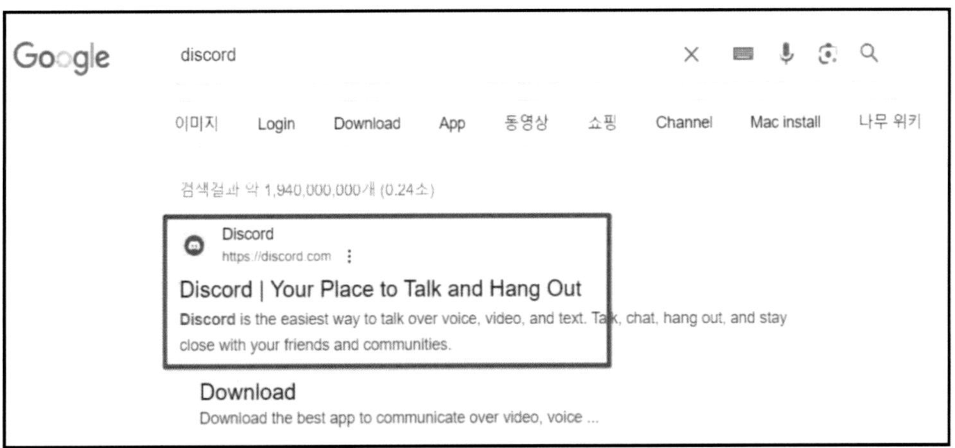

디스코드에 접속한 뒤 화면 오른쪽 상단에 있는 "Login"을 클릭합니다. 추가로 화살표 표시 부분을 확인하고 앱으로도 설치합니다.

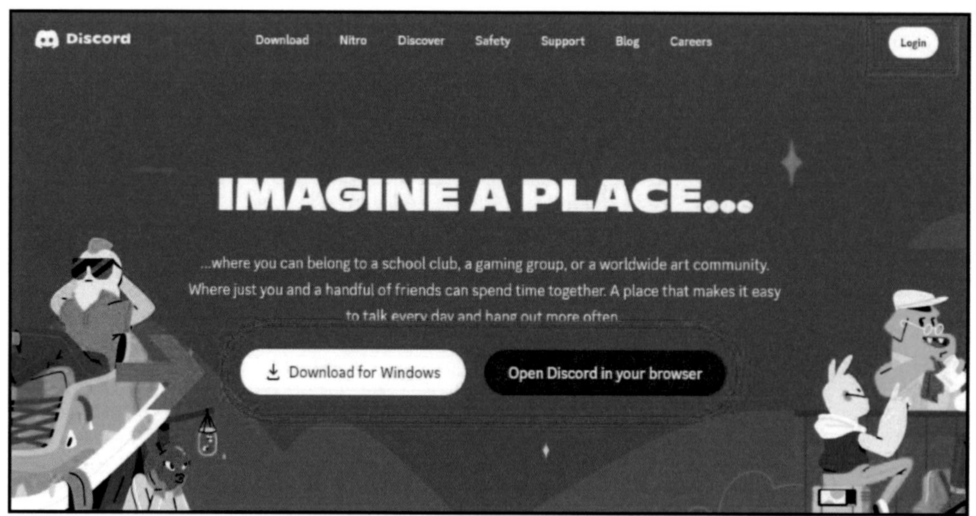

- 로그인 창에서 하단에 있는 가입하기를 클릭하여 가입을 합니다.

- 1번부터 6번까지 순서대로 사용자 정보를 입력하고 가입을 합니다. 가입 뒤에 서버만들기라는 창이 뜨는데 처음에는 가볍게 상단의 X를 눌러 넘어갑니다.

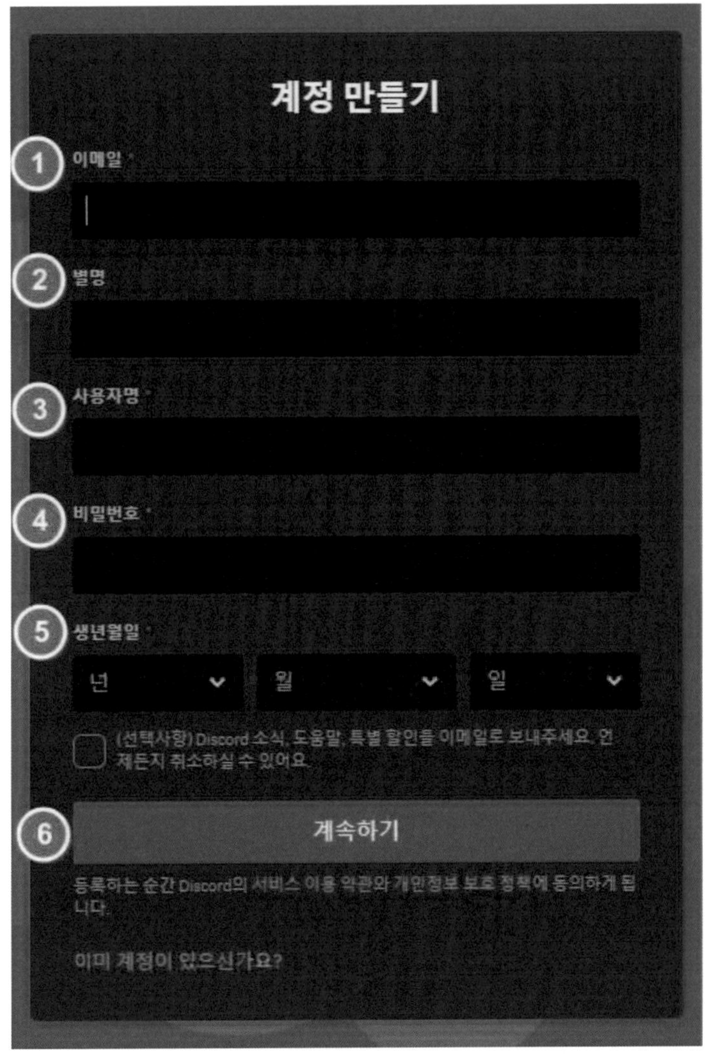

- 순서대로 가입하면 로봇인지 사람인지에 대한 선택을 하라는 부분이 나오고 이 부분에 대해 사람입니다.를 체크하면 디스코드로 들어갑니다.

- 화면 상단 위에 초록색 부분에 이메일 재전송을 클릭하고 이메일을 인증해야 최종 완료가 됩니다.

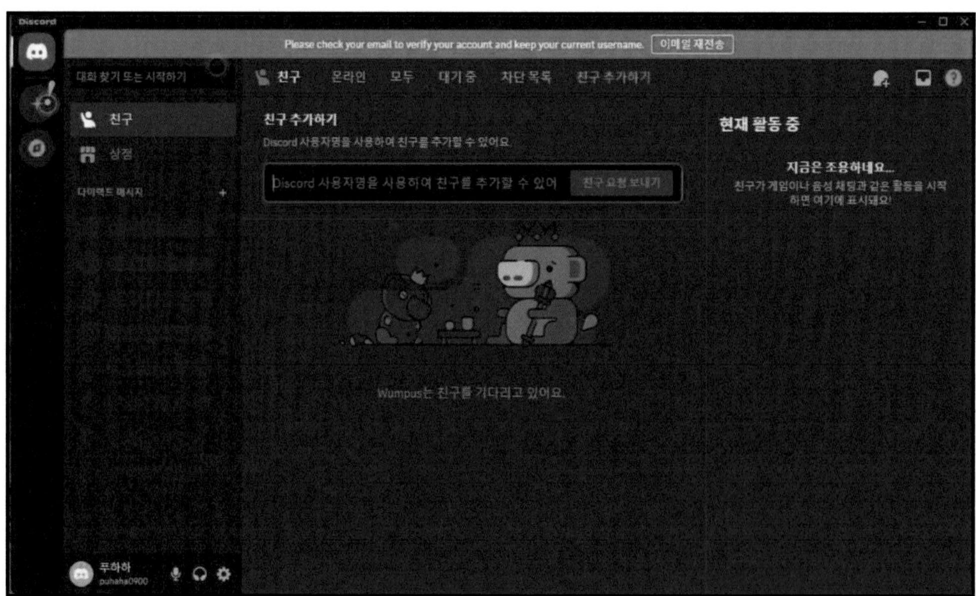

- 이메일 인증까지 완료된 여러분은 디스코드 가입을 완료하였습니다.

- 화살표 부분을 클릭하면 개인서버를 만들 수 있으니 미드저니 가입 후 이미지 생성 시 개인 서버를 만들어 사용하시기 바랍니다. 이제부터 미드저니에 가입을 하도록 하겠습니다.

  구글 크롬에서 미드저니(midjourney.com)를 검색하고 클릭합니다.

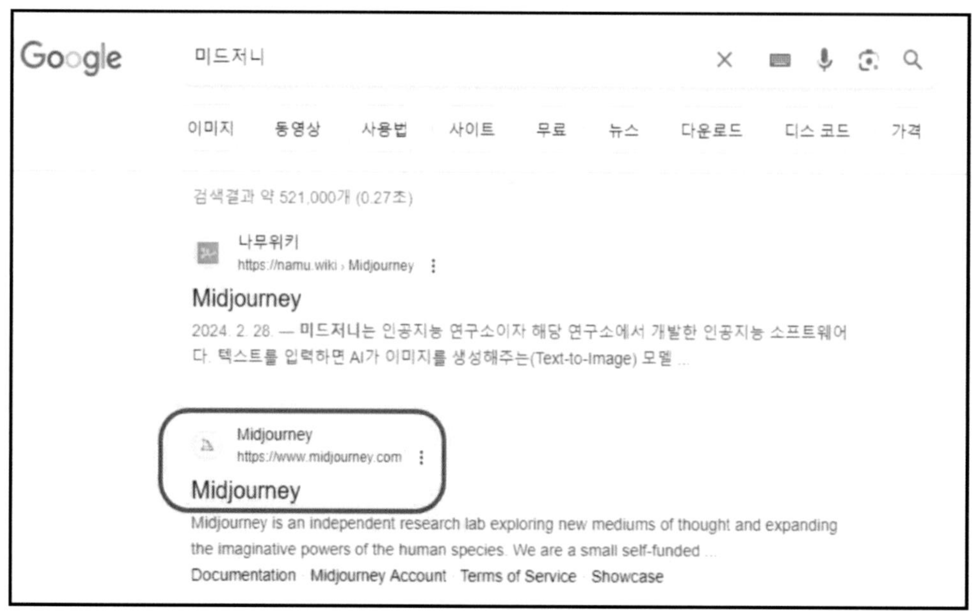

- 처음 미드저니 홈페이지에 가면 왜 오류가 생겼나 싶은 생각이 들지만 이 현상은 홈페이지의 메인일 뿐 오류 발생은 아닙니다. 홈페이지 하단에 있는 "Join the Beta"를 클릭합니다.

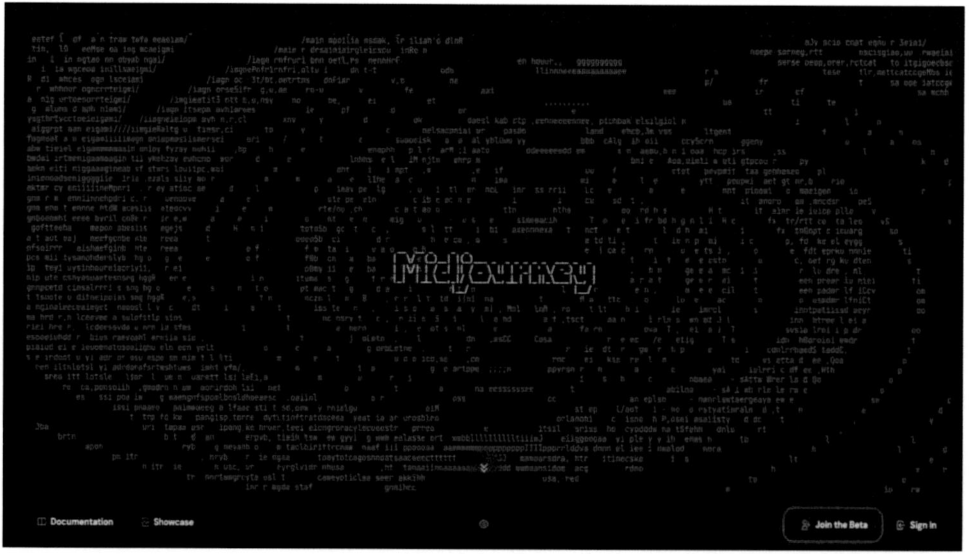

- 클릭 후 미드저니에서 사용할 별명을 적고 계속하기를 클릭합니다.

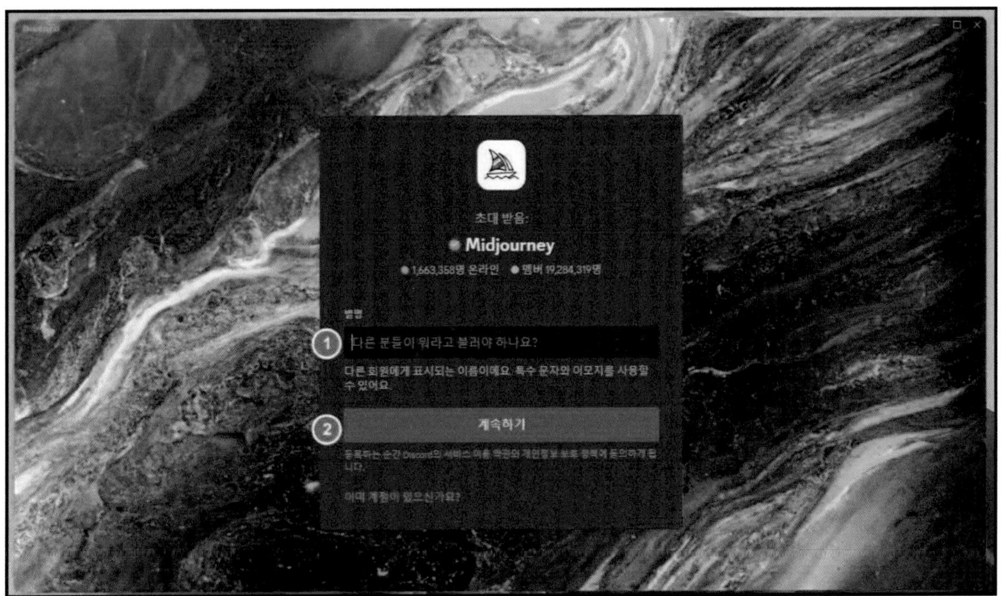

- "Midjourney에 오신 것을 환영합니다."가 보이고 가입이 완료 되었음을 확인할 수 있습니다.

- 이제부터 미드저니 서버에 대해 살펴보도록 하겠습니다. 미드저니 내에서 마음에 드는 채널을 하나 선택해서 들어갑니다. 하단에 있는 입력창에 /imagine을 입력하고 만들고 싶어 하는 이미지를 생각한 뒤에 이미지의 키워드를 입력하고 Enter를 누릅니다.

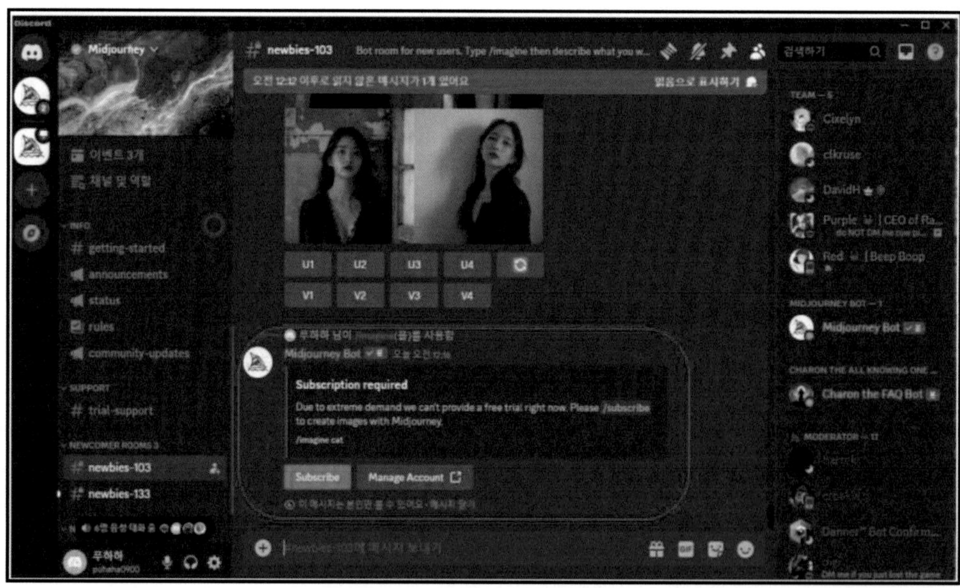

- 빨간색 안처럼 미드저니 봇이 사용을 하려면 구독을 해야 한다는 메시지를 보냈습니다. 미드저니는 다른 앱과 달리 유료로 구독해야 사용할 수 있으므로 입력창에 /Subscribe을 쓰고 Enter를 누릅니다.

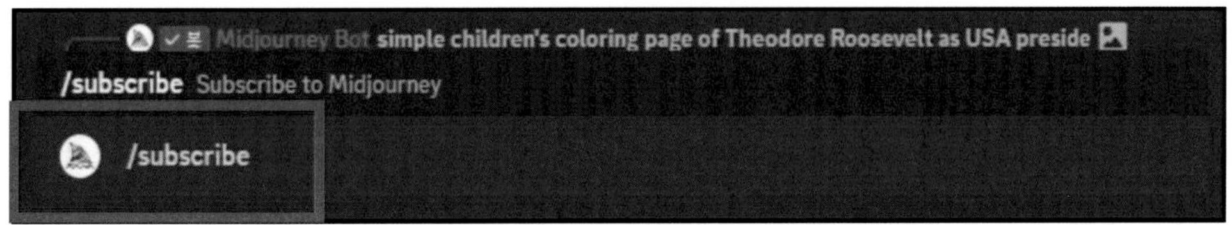

- 빨간색 네모안의 부분을 클릭하면 구독 관련 된 창으로 이동됩니다

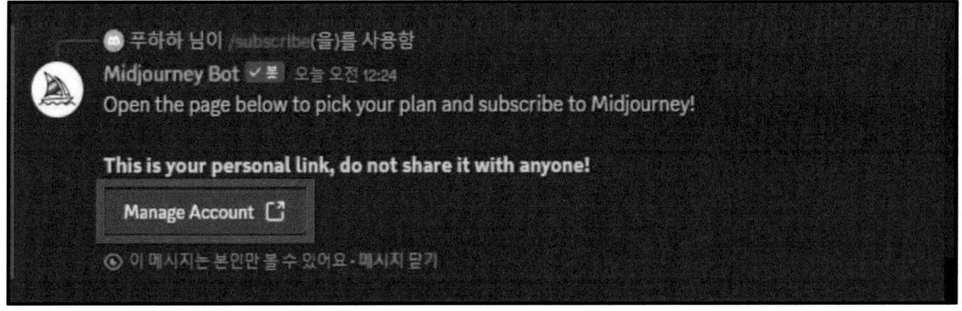

- 다음은 구독과 관련된 내용입니다.

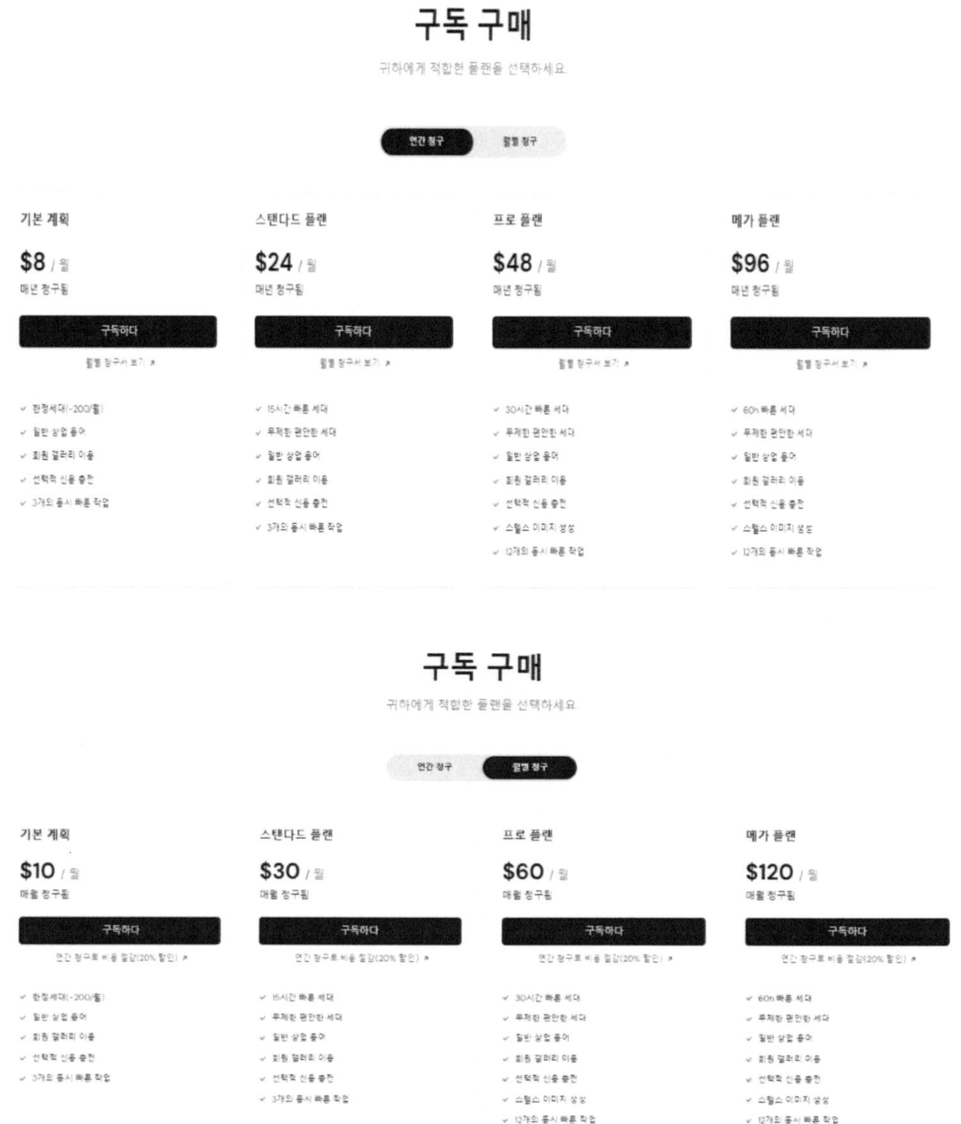

- 연간과 월간을 선택하여 이용할 수 있으며 자신에게 맞는 것으로 선택하면 됩니다. 각 단계별로 시간과 속도의 비례에 따라 구독을 선택할 수 있습니다. 처음 사용자에게는 베이직 플랜이나 스탠다드 플랜을 추천드립니다.

- 스탠다드 플랜의 경우 15시간 동안 빠르게 이미지를 생성할 수 있는데 대략 한달간 약 900여장의 이미지를 생성할 수 있습니다. 15시간 소진 시에는 릴랙스 모드로 전환되어 이미지 생성을 느리지만 추가 요금을 지불하지 않고 무한대로 사용할 수 있으니 상황과 때에 따라 선택하여 사용합니다.

- 이제 구독하기를 클릭하여 본격적으로 플랜을 구독해 보도록 합니다. 구독하기를 누르고 나면 다음과 같은 페이지가 뜹니다. 연락처 정보, 결제와 관련된 내용을 입력하고 나면 구독이 완료됩니다. 참고로 미드저니를 이용하다가 플랜을 변경하거나 구독을 취소하고 싶을 때는 자동으로 결제되기 전에 변경하여야 합니다. 이때는 미드저니 공식페이지를 방문하거나 이전의 구독을 신청했을 때 입력했던 /subscribe 명령어를 입력해서 [Manage Subscription] 페이지에 접속하며 변경과 관리를 할 수 있습니다.

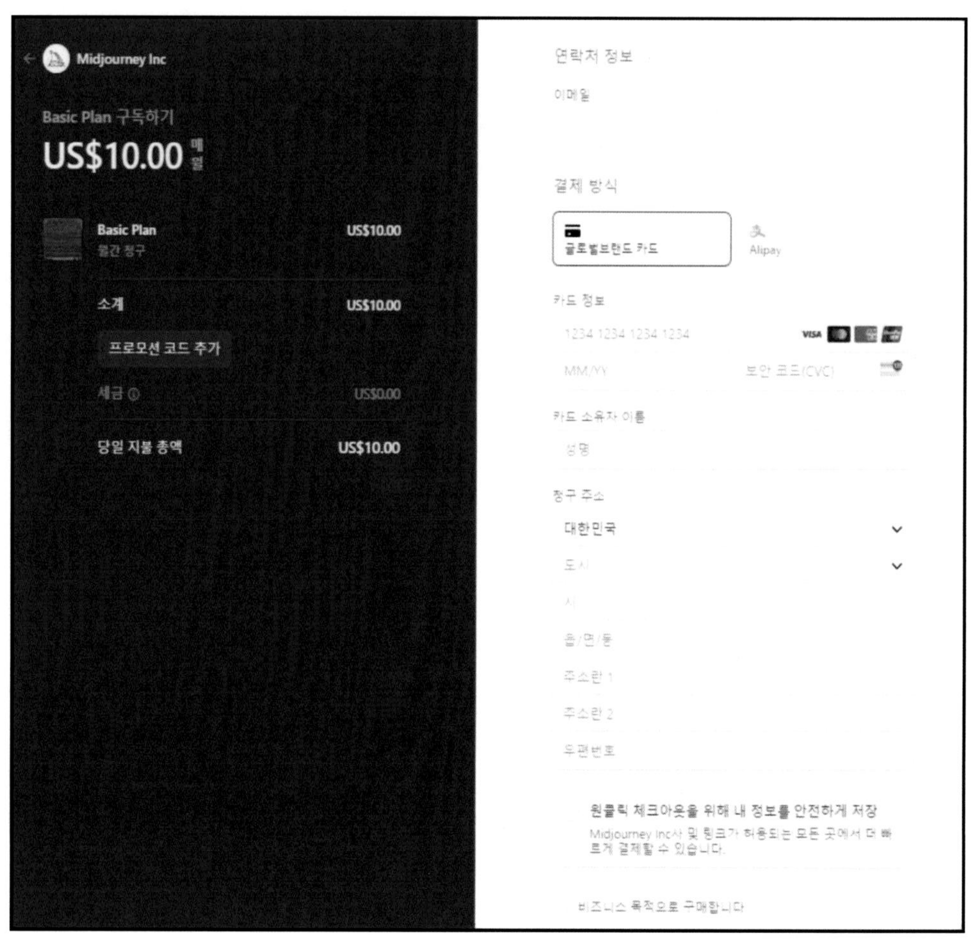
Midjourney Inc
Basic Plan 구독하기
US$10.00 매월
Basic Plan
월간 청구
US$10.00
소계
US$10.00
프로모션 코드 추가
세금
US$0.00
당일 지불 총액
US$10.00
연락처 정보
이메일
결제 방식
글로벌브랜드 카드
Alipay
카드 정보
1234 1234 1234 1234
MM/YY
보안 코드(CVC)
카드 소유자 이름
성명
청구 주소
대한민국
도시
시
읍/면/동
주소란 1
주소란 2
우편번호
원클릭 체크아웃을 위해 내 정보를 안전하게 저장
Midjourney Inc사 및 링크가 허용되는 모든 곳에서 더 빠르게 결제할 수 있습니다.
비즈니스 목적으로 구매합니다

2.2 미드저니 기본 사용법 - settings

- 이제부터 미드저니 서버에 대해 살펴보도록 하겠습니다. 미드저니 내에서 마음에 드는 채널을 하나 선택해서 들어갑니다.

  하단에 있는 입력창에 /settings 라고 입력하고 Enter를 누릅니다.

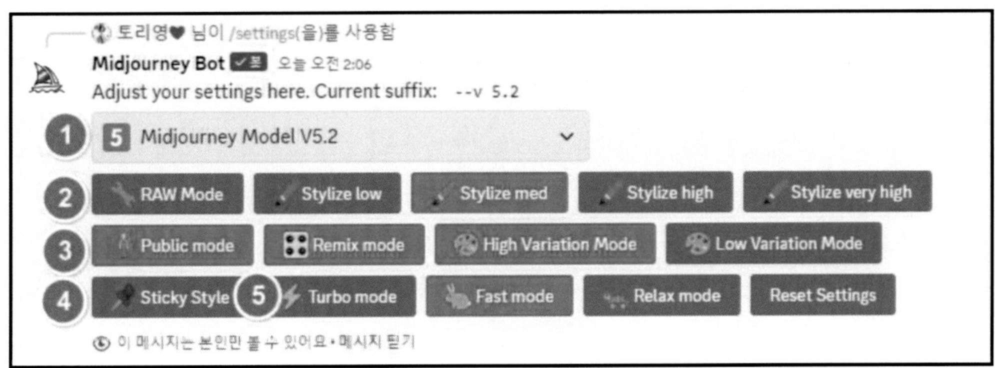

1번은 현재 사용하고 있는 미드저니의 버전을 말합니다. V를 누르면 아래와 같이 나옵니다.

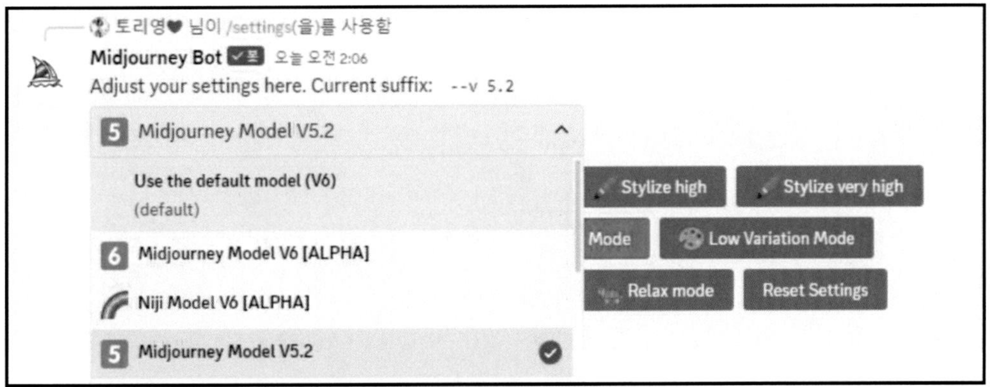

V5.2, V5.1 등의 이전버전이 나오는데 최근에 나온 V6가 퀄리티 면에서 큰 차이가 있지만 예술성이나 표현성 등에서 V5를 더 선호하기도 합니다. 버전이 위로 갈수록 프롬프트에 대한 이해력이 높아

지고 점점 그림 표현이 사실적으로 디테일해지니 한 번씩 버전을 바꿔보면서 사용하기를 추천드립니다. Niji Model V6는 "일본식 애니메이션 이미지"를 표현하는 기능으로 많은 사람들이 선호하는 버전입니다.

2번의 RAW Mode는 "--style raw"로 스타일을 꾸밈없이 단조로운 이미지를 사용할 때 만듭니다.

그다음 stylize로 파라미터의 속성을 말합니다. stylize low, med high, very high 순으로 예술적 색상, 구성 및 형태의 수준의 변화를 주는 것으로 낮으면 낮을수록 프롬프트와 가까운 이미지가 나오고 미화가 덜 됩니다.

3번 라인에 있는 Public mode는 기본으로 설정되어 있습니다. 이는 공개 모드로 작업한 내용이 다른 사람들도 볼 수 있도록 설정되는 것으로 이를 선택하고 싶지 않을 때는 [프로] 플랜 사용자들만 해제가 가능하니 요금제를 업그레이드해야 합니다. Remix mode는 각 베리에이션 단계에서 프롬프트를 수정할 수 있는 기회를 제공합니다. 이미지 요소를 섞어 변경할 수 있는데 이 모드를 활성화해야 리믹스 프롬프트를 입력할 수 있습니다.

High Variation Mode와 Low Variation Mode는 리믹스 모드에 영향을 미치는 것으로 이미지의 미묘하거나 강력한 변형을 만들 때 사용되는 것입니다. High를 선택하면 변형율은 높으나 생성된 단일 이미지를 기반으로 여러 컨셉을 만들 수 있다는 것이 특징입니다.

Low를 선택하면 원본 이미지의 주요 구성을 유지하면서 세부 사항에 미묘한 변화를 주어 변형 생성합니다.

4번 Stick Style은 "스타일 코드"를 고정하는 역할을 합니다. 스타일이나 테마를 일관되게 유지하게 합니다. 다양한 프롬프트를 입력해도 스타일, 색상, 테마적 요소가 일관되게 적용됩니다.

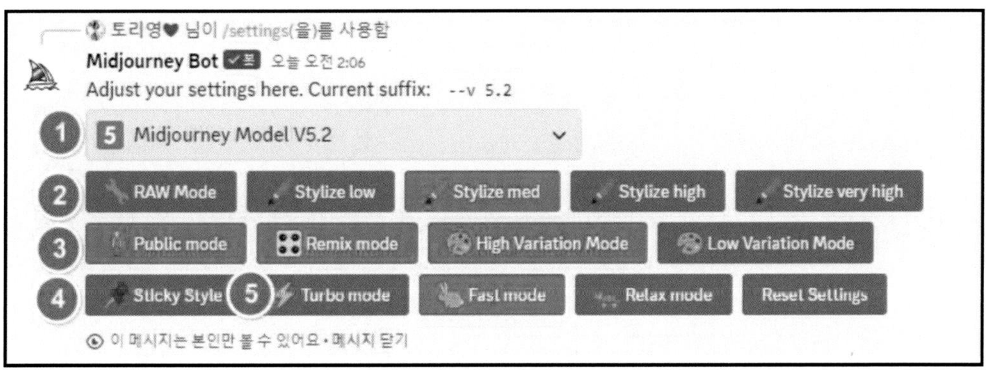

- 5번의 Fast, Relax, Reset모드는 이미지 생성속도 및 GPU 시간 포인트 소모와 관련된 버튼으로 베이직 플랜 사용자의 경우 릴랙스 모드 사용이 안되며 스탠다드부터 릴랙스 모드로 무한 생성이 가능합니다.

  마지막 Reset Settings는 설정 리셋 버튼입니다.

2.3 미드저니 이미지 생성

- 이제 셋팅을 통해 준비가 되었으니 이미지를 생성해보도록 하겠습니다. 미드저니의 경우 프롬프트를 간단명료하게 할수록 이미지가 잘 생성되니 처음에는 가볍게 시작하기를 추천합니다. 저는 cute cat으로 프롬프트를 적어보겠습니다.

프롬프트를 실행하면 (waiting to start)라는 문구가 나오면서 이미지가 4개 생성됩니다.

- 왼쪽 상단부터 차례대로 순서입니다. 그럼 이미지 밑에 기호에 대해 알아보겠습니다.

U는 이미지의 크기를 확대하는 즉 업스케일링을 하는 역할이고 숫자는 위의 이미지 순서를 가리킵니다. V는 이미지를 변형하는 역할을 담당하는 것으로 역시 숫자는 이미지의 순서를 말합니다. 새로고침 모양이 [RE-ROLL]은 생성된 4개의 이미지가 모두 마음에 안 들 때 다시 생성해 달라고 누르는 기능입니다.

그럼 이제 이미지를 하나 선택하여 클릭해 보겠습니다. 저는 U1의 그림을 선택하였고, 하나의 이미지가 나오면서 아래의 내용들이 나옵니다. 이제부터 이미지 아래에 나온 부분에 대해 설명하겠습니다.

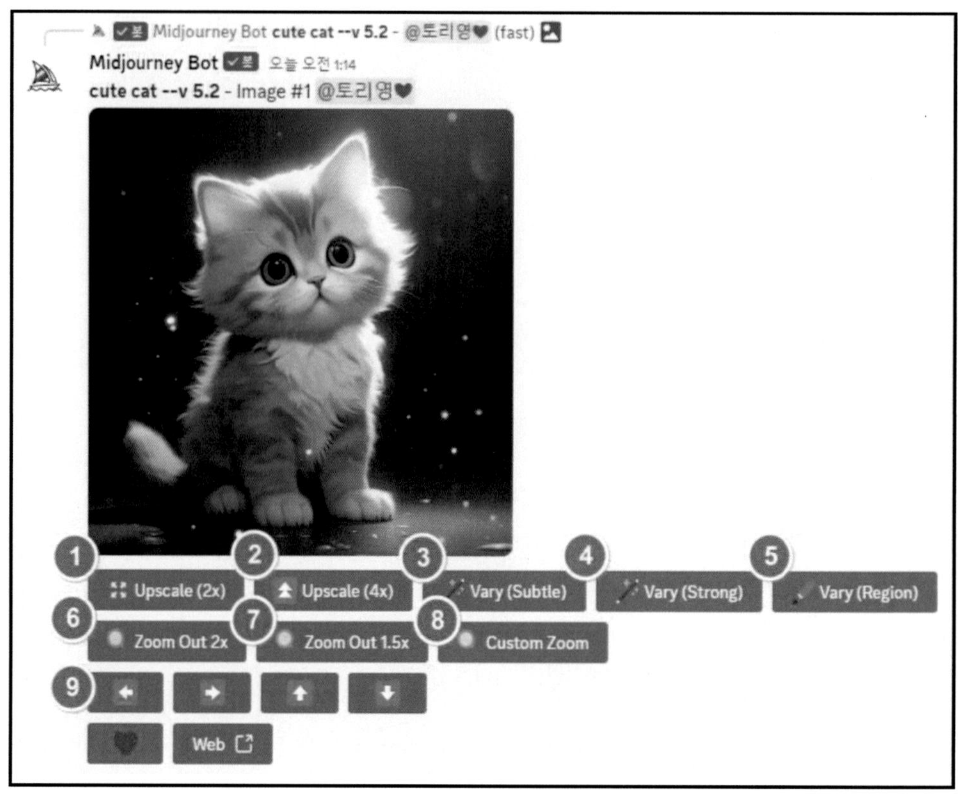

- 1,2번은 업스케일로 2배(1024-> 2048), 4배를 선택하여 클릭하면 됩니다.

3번은 선택한 이미지를 최대한 유지하면서 약간의 변화만을 줄 때 선택, 4번은 선택한 이미지에서 변화를 좀 더 다양하게 주고 싶을 때, 5번은 생성된 이미지를 원하는 대로 변형할 때 사용할 수 있습니다.

5번을 클릭해 보겠습니다. 클릭하면 다음과 같은 창이 뜨고 왼쪽에 사각형 선택 도구와 올가미 도구가 보입니다. 둘 중에 하나를 선택하고 변화를 주고 싶은 부분에 드래그를 하여 영역을 선택한 뒤 선택한 영역에 변화를 주고 싶은 프롬프트를 입력합니다.

- 예로 눈에 드래그를 하고 smile이라고 입력하고 Enter를 눌러 보겠습니다.

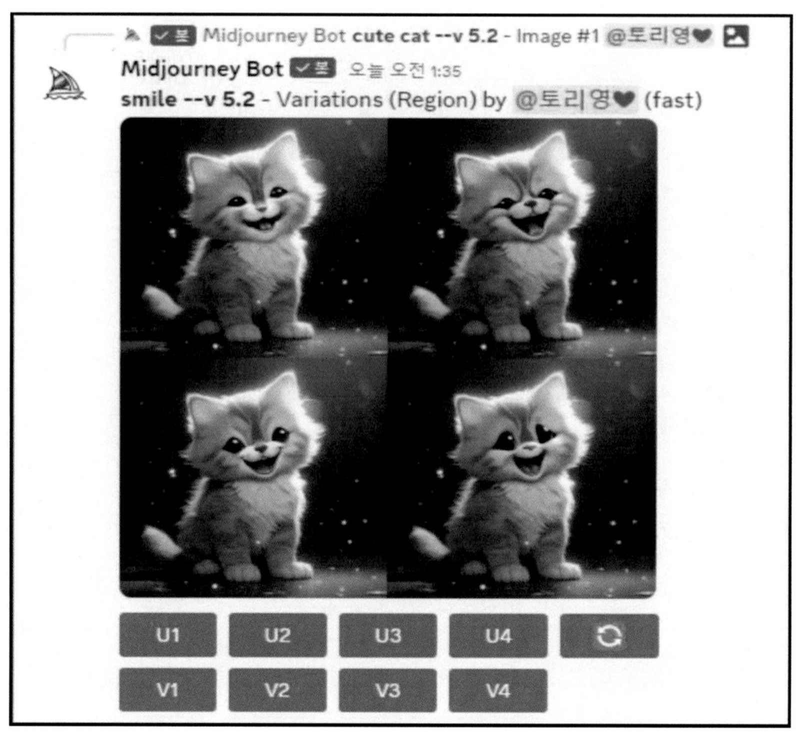

- 이미지의 변화가 보이시나요? 고양이의 눈과 입이 웃는 얼굴로 바뀌었습니다. [Vary(region)]을 사용하면 이미지를 사라지게 하거나 표정, 물체 등을 변화시킬 수 있으니 이를 이용하여 창의적으로 결과물을 만들기 바랍니다.

6,7번은 피사체와 멀어지게 하는 기능으로 줌 아웃 2배, 1.5배를 할 수 있습니다. 카메라가 고정된 상태에서 초점 거리를 변화시켜 생성한 이미지에서 2배와 1.5배로 멀어진 것처럼 주변의 환경이 확장되는 이미지를 생성합니다.

첫 번째 이미지는 2배, 두 번째 이미지는 1.5배입니다, 차이가 느껴지시나요?

- 프롬프트를 추가하여 완전히 변형하는 방법도 있습니다. 8번의 Custom Zoom 기능입니다. 이 기능을 클릭하면 Zoom Out 창이 뜹니다. 이 창에 추가로 “미술관에 걸려있는 액자(picture frames hanging in a art museum)” 라는 내용의 프롬프트를 입력합니다.

추가 입력된 프롬프트의 내용처럼 기존의 그림이 미술관에 전시가 되었으며, 기존의 이미지가 확장되어 새로운 결과물이 나오게 되었습니다.

- 9번은 이미지를 확장하는 Pan 기능입니다. 방향키 모양의 버튼을 누르면 방향에 따라 이미지가 해당 방향으로 확장이 됩니다. 예로 순서대로 왼쪽, 오른쪽, 위, 아래 버튼을 눌러 확인해 보겠습니다.

- 변화가 확실히 보이시나요? 그림의 비율은 3:2, 2:3으로 변형이 되니 참고하시고 사용하시기 바랍니다.

  생성된 이미지를 저장하고 싶다면 이미지를 클릭하고, 확대된 창에 다시 마우스 오른쪽 버튼을 눌러서 "이미지 저장"을 선택하면 저장이 되고, png 파일로 저장됩니다.

- 다음은 양념과 같이 이미지 생성의 설정에 도움을 주는 파라미터에 대해 알아보겠습니다.

Chapter #3

파라미터 - 마법의 가루

Chapter #3 파라미터 - 마법의 가루

3.1 파라미터란?

- 미드저니 안에서 양념과 같이 사용할 수 있는 것이 파라미터(매개변수)입니다. 파라미터란 이미지 생성에 영향을 주는 값으로 프롬프트 작성 후 맨 마지막에 기입하면 됩니다.

예) /imagine 프롬프트 --파라미터 값

종종 파라미터를 사용할 시에 오류가 생기기도 하는데 이는 띄어쓰기를 하지 않을 때 발생되니 꼭 하이픈 2개(--)와 파라미터 명령어는 붙이고, 값은 한 칸 띄어 작성합니다. 파라미터 값을 제대로 입력하지 않으면 아래와 같이 유효하지 않은 파라미터라고 나오게 됩니다.

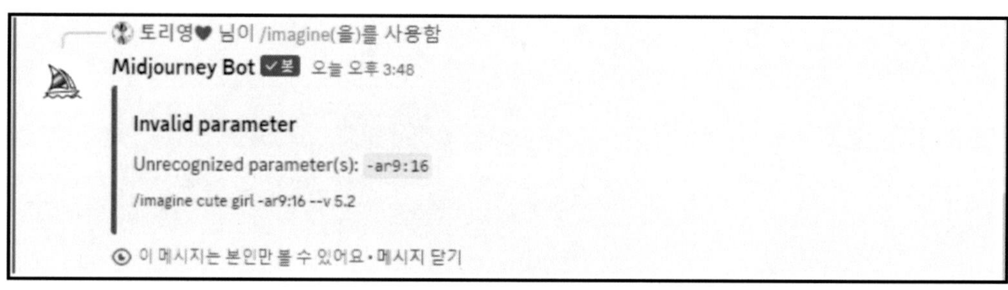

3.2 파라미터의 종류

1. 이미지 비율(해상도 설정) : --ar/--aspect

- 첫 번째로 알아볼 파라미터는 이미지 비율(종횡비)을 지정하는 것으로 이미지의 가로, 세로 비율을 지정합니다. 미드저니는 기본적으로 이미지를 정사각형(1:1) 비율로 생성합니다. 기본적으로 SNS 플랫폼에는 그대로 무방하게 사용할 수 있으나 전시나 다른 목적에 따라 이미지 비율을 변경할 필요가 있을 때는 파라미터 --ar/--aspect 를 사용하면 됩니다.

- 왼쪽은 기본 생성 이미지이고, 오른쪽은 --ar 파라미터를 9:16으로 넣어서 세로로 길게 생성된 이미지입니다. 필요에 따라 비율을 넣어 사용하면 됩니다.

2. 생성된 이미지 서로 다른 스타일로 형성하기 : --chaos, --c

- 값이 높을수록 예상치 못한 이미지가 형성되게 만드는 파라미터입니다. 이를 사용할 때 생성된 이미지가 서로 다른 스타일로 표현될 확률이 높으며 값의 범위는 0~100까지 입력할 수 있습니다. 어떤 이미지를 생성할지 생각이 떠오르지 않거나 뜻하지 않은 아이디어와 영감을 얻고 싶을 때 사용하기를 추천드립니다.

--c 0

--c 10

--c 60

--c 100

- 저는 예시로 cyber girl을 프롬프트로 입력해 보았습니다. 어떠신가요? 차이가 느껴지시나요? 미드저니 입문을 하셨다면 꼭 한번 써보시기 바랍니다.

3. 특정 이미지, 요소, 내용 표현 등 제외 : --no

- 이미지에서 표현하고 싶지 않은 요소를 제외할 때 사용하는 파라미터 입니다. 그러나 아예 나오지 않게 하는 것은 아니고, 확률을 낮춰 주는 기능이니 이점을 꼭 기억하시기 바랍니다.
  예로 오른쪽 그림은 프롬프트로 many beautiful flower in forest를 입력하여 생성한 그림입니다. 왼쪽 그림은 노란색 꽃을 생성하지 않도록 파라미터를 입력하였습니다.

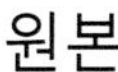

원본 --no yellow flower

- 또한 --no파라미터는 뒤에 :: 숫자를 붙여 강도를 조절 할 수도 있습니다. 저는 나무의 수를 줄이기 위해 --no yellow flower 파라미터를 사용하면서 명령어 강도를 4로 적용해서 생성해 보았습니다. 기본 명령어 강도의 값은 1입니다. 파라미터를 사용했는데 영향이 적다면 강도를 높여 사용해 보시기 바랍니다. 다음 그림의 왼쪽은 --no yellow flower를 사용한 그림이고 오른쪽 그림은 강도 4를 넣어 생성한 그림입니다.

--no yellow flower

--no yellow flower::4

4. 이미지 생성 중 멈춤 : --stop

- 이미지 생성 시 생성 단계를 살펴보면 10%, 20%……처럼 퍼센트로 완성도를 보여줍니다. 이미지가 형성되는 동안 화면이 뿌옇거나 몽환적으로 보이는데 이때의 모습을 멈출 수 있게 하는 것이 바로 --stop 파라미터입니다.

--stop 파라미터를 함께 입력하면 이미지 형성 중간을 멈추게 할 수 있습니다. 나비가 날아다니는 풍경을 생성해 보겠습니다. 30%, 60%, 100% 지점에 형성된 이미지를 살펴보겠습니다.

예) /imagine Digital art showcasing a serenemeadow, with butterflies fluttering amidstwildflowers, under apastel sky --stop 30

-- stop 30

-- stop 60

5. 반복적 이미지 생성 : --tile

- 특정 이미지를 반복하게 만들어 배경 이미지로 입히거나 옷에 패턴, 타일 등을 만들 때 사용할 수 있는 파라미터입니다. POD(Print on Demand)에 활용할 수 있으며 스티커나 손수건 제작에도 사용할 수 있습니다. 왼쪽은 pink flower, 오른쪽은 purple flower로 만든 이미지입니다. 이중 하나를 선택해서 반복하면 패턴이 끊김 없이 자연스럽게 이어집니다.

6. 같은 작업의 반복 : --r , --repeat

- 프롬프트 입력 후 생성된 이미지를 반복 생성하기 위해 누르는 [RE-ROLL] 버튼 대신에 처음부터 이미지를 반복 생성하도록 하게 하는 파라미터가 있습니다. 바로 --r , --repeat 파라미터입니다. 파라미터 뒤에 반복 작업할 횟수를 숫자로 적으면 입력한 숫자 만큼 자동으로 이미지가 반복 생성됩니다.

프롬프트로 Photo of, a crative dancer, in the midst of a performance, Stage를 넣고 뒤에 --r 4 파라미터를 넣었습니다. 그리고 나서 이 프롬프트로 정말 4번 생성할 것인지 물어보고 초록색 버튼의 Yes를 눌러주면 실행이 됩니다.

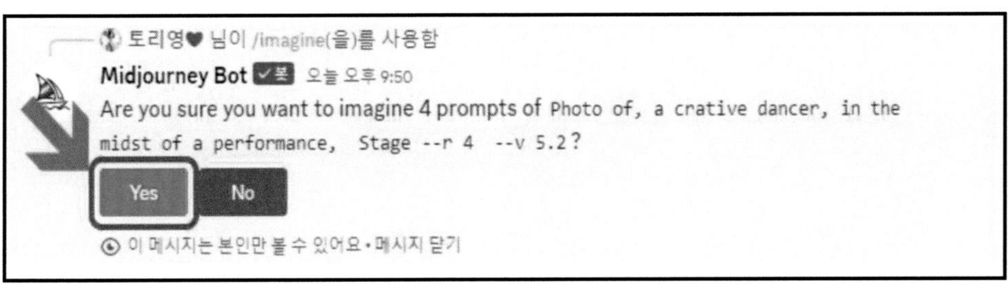

- 여기에서 질문을 하는 이유는 생성하는데 오랜 시간이 들 수 있으니 기다릴 수 있느냐의 동의를 구하는 것입니다. 동의 이후에 동시에 만든 4개의 이미지입니다.

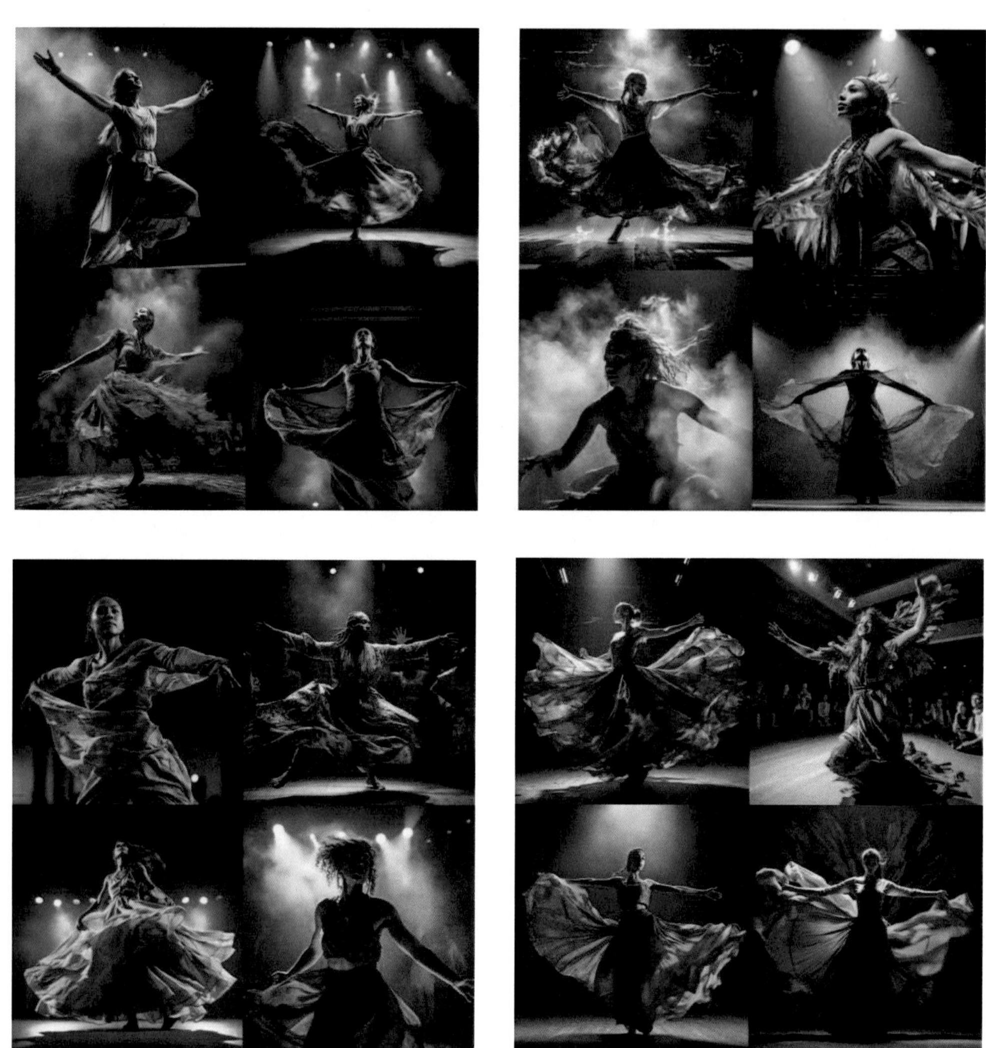

- 참고로 스탠다드 구독자의 경우 한번에 2~10까지 입력이 가능 (즉, 2번에서 10번까지 자동 반복 생성), 프로 이상의 구독자는 2~40까지 입력 가능 (2번에서 40번까지 자동 반복 생성) 합니다.

7. 이미지 품질 지정 : --quality, --q

- 결과물 즉 이미지의 품질을 지정하는 파라미터입니다. 여기에서 q는 품질을 뜻하는 단어인 quality에서 가져온 파라미터로 퀄리티 값은 .25, .5, 1을 입력할 수 있으며 기본값은 1입니다. 수치가 높을수록 퀄리티가 높아지지만 반대로 처리 속도는 느려집니다.
- q .25는 퀄리티를 25% 낮춰주며 속도는 4배 빠릅니다. q .5는 퀄리티를 50% 낮춰주지만 속도는 2배 빠릅니다. 구독 관련해서 앞에 이야기하였지만 테스트 목적으로 프롬프트를 실행할 때는 --q 파라미터로 품질을 낮추고 생성 시간을 단축시키면 사용료를 아낄 수 있습니다.

8. 캐릭터 참조 : --cref

- 이 기능은 기존 캐릭터 이미지를 참조하여 새롭게 생성되는 이미지의 캐릭터를 일관성 있게 유지하여 생성하게 만들어 주는 파라미터입니다. 프롬프트 뒤에 --cref URL을 입력하여 사용해 주며 여기서 URL은 참조하려는 기존 캐릭터의 URL 즉 이미지 주소를 넣어주면 됩니다. 참고로 이미지 주소는 생성된 이미지를 클릭하고 마우스 오른쪽 버튼을 누르면 링크 복사하기가 있습니다. 링크를 복사해서 URL을 사용하시면 됩니다.

- 다음은 제가 사용한 이미지의 예시입니다.

  예) /imagine cute girl --cref https://s.mj.run/qD29f55J3aw --cw (0~100)

참고로 --cw는 강도를 조절하는 파라미터로 더 세밀하게 캐릭터를 동일화하게 해줍니다. 캐릭터 참조 정도를 0에서 100값을 사용하여 조절할 수 있으니 같이 사용하기를 권해드립니다. 다음 그림은 강도를 0, 50, 100을 주어서 만든 이미지입니다.

기본 이미지

--cref 0

--cref 50

--cref 100

- 강도에 따라 차이가 느껴지시나요? 이번에는 기본 이미지에 머리카락과 얼굴의 설정을 바꿔서 프롬프트를 입력하고 이미지를 생성해 보도록 하겠습니다.

예) /imagine black hair, blue eyes —cref https://s.mj.run/qD29f55J3aw --cw 0

- 검은 머리에 파란 눈동자를 넣어서 생성하였습니다. 어떠신가요? 비슷한 캐릭터가 형성되었나요? 판단은 여러분에게 맡기겠습니다. 강도를 잘 조절하여 사용하면 비슷한 캐릭터를 형성하기에 좋은 파라미터로 동화책이나 게임 관련 캐릭터 형성 시에 써보기를 추천드립니다.

9. 미드저니 버전 지정 : --v

- 앞서 미드저니 이미지 생성 챕터에서 알려드렸듯이 settings에서도 버전을 설정할 수 있지만 파라미터 --v 에서도 버전을 설정할 수 있습니다. --v 5.2처럼 버전을 입력하면 해당 버전으로 이미지가 생성됩니다. 미드저니가 처음 나왔을 때부터 현재 6.0 버전까지 변천사를 한번 보겠습니다. 프롬프트로 간단하게 cute boy로 입력해 보았습니다. 간단한 프롬프트로 입력만 하였는데도 버전에 따라 많은 변화가 보이는 것을 확인할 수 있습니다.

--v 1

--v 2

--v 3

--v 4

--v 5

--v 6

- 여러분은 어떠신가요? 많은 변화가 느껴지시나요? 미드저니는 지금 현재 계속해서 업데이트 되고 있는 중입니다. 앞으로 많은 변화와 함께 출시 될 버전들이 기대됩니다.

Chapter #4

미드저니 AI아티스트 되기

Chapter #4 미드저니 AI아티스트 되기

4.1 AI아티스트란?

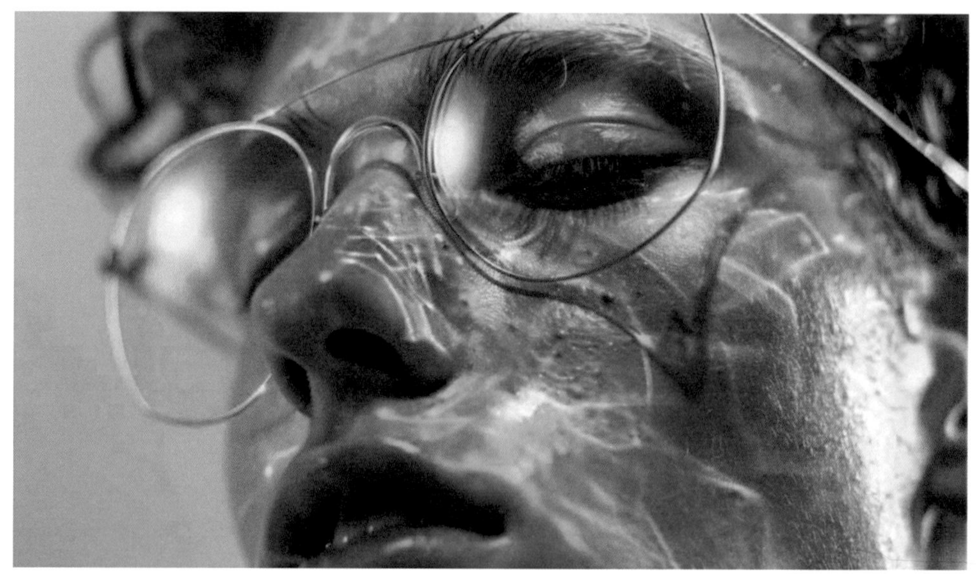

- 날이갈수록, 예술과 기술의 경계는 점차 모호해지고 있습니다. 특히 인공지능(AI) 기술의 발전은 예술 창작 활동에 혁신적인 변화를 가져오고 있으며, 'AI 아티스트'라는 새로운 영역을 탄생시켰습니다. 많은 분들이 미드저니를 통해 AI아티스트로 활동중이며, 지금도 다수의 전시회를 진행하고 있습니다.

- 이번 챕터에서는 AI 아티스트의 정의와 가능성과 함께, 여러분이 AI 아티스트가 되기 위해 필요한 실질적인 AI 아트 테크닉을 알려 드리겠습니다. 단순한 프롬프트로는 왜 멋진 작품이 만들어지지 않는지 그동안 궁금하셨던 분들께 많은 도움이 되길 바랍니다.

1. AI 아티스트의 정의와 가능성

- AI 아티스트란, 인공지능 기술을 활용하여 예술작품을 창조하는 개인 또는 그룹을 의미합니다. 이는 기계 학습, 딥 러닝, 알고리즘 등 다양한 AI 기술을 통해 시각 예술, 음악, 문학 등 여러 예술 분야에서 새로운 형태의 작품을 만들어 내는 과정을 포함하고 있습니다.

인공지능 기술의 도움으로 AI 아티스트는 기존에는 상상하지 못했던 방식으로 창작의 영역을 확장하면서, 동시에 예술과 기술의 경계를 넘나드는 작품을 대중들에게 선보일 수 있습니다.

- 여기에서 가장 중요한 건 많은 AI 이미지 생성툴 중에서 나와 가장 잘 맞는 게 무엇인지 찾는 것이며, 그 과정에서 미드저니를 선택하여 많은 AI 아티스트가 다양한 작품활동을 하고, 전시회에 출품하고 있습니다.

2. AI를 활용한 창작 과정

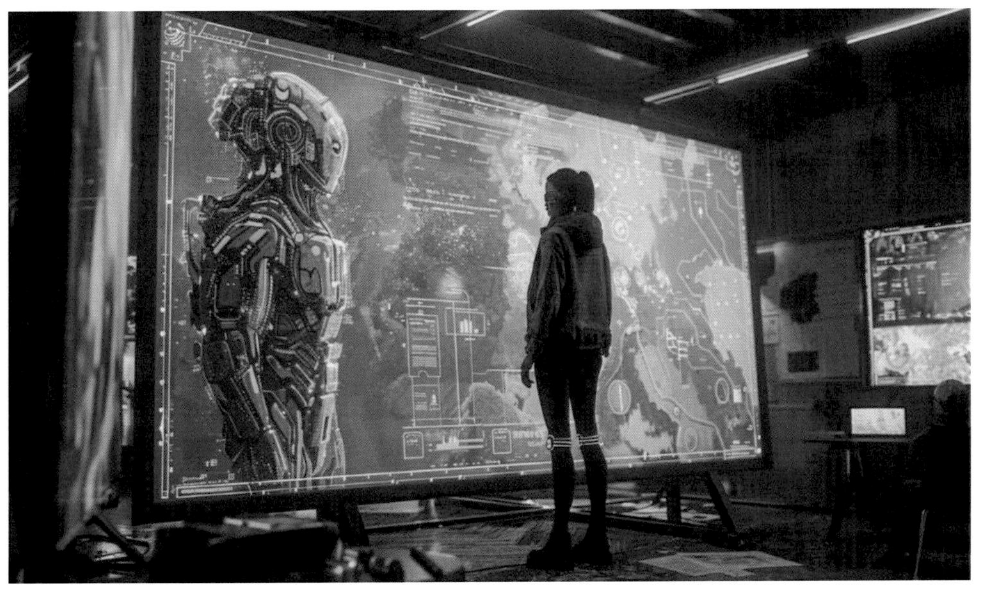

- AI 아티스트가 되기 위해서 먼저 AI 기술의 기본 원리와 작동 방식을 이해하는 것이 중요합니다. 이를 위해 기계 학습 모델에 대한 이해(프롬프트 생성), 그리고 많은 작업을 통해서 AI 이미지 생성 툴에 대한 숙련도가 필요합니다. 앞 챕터에서 여러분이 미드저니 기본기에 대해서 잘 이해 하고 오셨다면, AI 아티스트로 데뷔 하시기에 충분한 능력을 갖추셨습니다.

3. AI와 아티스트의 협업

- AI가 창작 과정에서 어떤 역할을 할지, 아티스트는 AI와 어떻게 상호작용하며 예술적 아이디어를 구현할지 고민하는 것이 중요한 단계입니다. AI아티스트는 미드저니에게 원하는 주제와 표현 방식을 입력하고, 미드저니는 AI아티스트에게 그 결과물을 보여 주면서 서로 공동 작업을 통해 작업을 합니다.

- 미드저니가 생성해 준 이미지가 완벽할 수는 없습니다. 여러가지 방법으로 수정단계를 거쳐야 비로소 여러분만의 작품이 완성될 수 있습니다.

4. AI아티스트 : 도전과 기회

- 기술적 한계, 창작물의 저작권 문제, AI와 인간 예술가 사이의 창의성 경쟁 등은 AI 아티스트가 직면할 수 있는 주요 이슈들입니다. 그러나 동시에, AI는 예술가들에게 무한한 창의력을 발휘할 수 있는 기회를 제공해줍니다.

- 기술과 예술의 융합을 통해 전통적인 예술 형태를 넘어서는 독창적이고 혁신적인 작품을 탄생시킬 수 있습니다. 머릿속에 아이디어는 많지만, 현실의 벽에 부딪혀 창작활동을 못 하시는 분들이 이제는 누구나 언제 어디서든 미드저니를 통해서 작품 활동을 하는 AI 아티스트가 될 수 있습니다.

지금 이 시간에도, 시간이 부족하다, 그림을 못 그린다는 이유로 망설였던 분들도 AI 아티스트로의 꿈을 키워가고 계십니다.

5. AI아트 실제 사례와 미래 전망

- AI를 활용한 예술 작품은 이미 세계 곳곳에서 주목을 받고 있습니다.

  미국 콜로라도 주립 박람회 미술대회에서 AI가 생성한 이미지가 1위를 차지한 사례를 통해서, 미드저니가 대중들에게 많이 알려졌습니다.

로봇이 올림픽에 나가서 우승한거나 마찬가지라는 비난과 함께, 기술을 도구로 사용한 것은 문제가 없다는 옹호론이 맞서면서 갑론을박이 벌어졌었습니다.

- 콜로라도 박람회 측에서는 “창작 과정에서 디지털 기술을 활용한 그 어떤 예술 행위도 용인한다”라고 말하며 이 작품을 인정 했습니다. 결국은 획기적인 이미지를 생성하기 위해 프롬프트를 작성하는 건 결국 인간의 창의성과 노력에 달렸다는 결과라는 것을 보여준 사례입니다.

앞으로 AI아티스트는 다양한 예술작품을 내중들에세 선보일 것이며, 이는 인류의 예술 이해와 표현 방식에 새로운 장을 열 것으로 기대됩니다.

4.2 동일한 프롬프트로 다양한 이미지 생성

- 동일한 프롬프트를 가지고 조금씩 다른 느낌으로 이미지를 생성해보는 것은, 여러분이 미드저니에 익숙해지기에 좋은 방법 중의 하나입니다.

- 귀여운 여자아이가 고양이를 안고 있는 모습을 다양한 그림체를 통해서 생성해 보도록 하겠습니다. 아래 예시의 프롬프트를 직접 입력하면서, 실제로 생성해 보시기 바랍니다.

A cute little girl holding a cat, basking in the warm sunlight, surrounded by a serene garden, her face filled with joy and affection towards the cat, soft focus, DSLR camera --ar 2:3 --s 250 —v 6.0

soft focus, DSLR camera 키워드를 추가로 작성해줌으로서 좀 더 섬세한 이미지 작업을 할 수 있습니다. 작품 비율은 2:3이 아니라 여러분이 원하는대로 설정하셔도 좋습니다.

- 위 이미지는 미드저니가 가지고 있는 느낌 그대로 생성된 이미지입니다. 이대로 사용해도 물론 멋지지만, 나만의 아이덴티티가 느껴지는 작품을 만들기 위해서는 조금 부족하다고 판단했기 때문에, 위의 이미지를 이용해서 예술작품으로서 느껴지도록 조금 더 화풍을 만들어 보도록 합시다.

- 프롬프트는 동일하게 사용하고, 화가의 이름만 프롬프트에 추가하도록 하겠습니다. 다양한 화가의 이름을 이용해서 많은 이미지를 생성해 보면서 여러분이 어떤 화풍을 좋아하는지도 스스로 찾아가는 과정을 즐겨보시면 좋겠습니다.

[1]Painting By Edward Hopper,A cute little girl holding a cat, basking in the warm sunlight, surrounded by a serene garden, her face filled with joy and affection towards the cat, soft focus, DSLR camera --ar 2:3 --s 250 --v 6.0

- 위의 이미지는 Edward Hopper의 화풍을 이용해서 생성된 이미지입니다. 처음 생성된 이미지와 비교해 보시면 아주 즐거운 작업이 되실겁니다.

- 위의 예시에 사용된 화풍뿐만 아니라 수십가지의 화풍들을 하나의 프롬프트를 이용해서 실습해 보시는게 좋습니다.

참고로 '고양이'라는 주제는 미드저니에서 형태나, 표정 등이 정말 자연스럽게 구사되는 동물 중의 하나이기 때문에 처음에 미드저니로 연습하실 때 '고양이'로 많이 연습해 보시는걸 적극 추천드립니다.

1) 다양한 화풍을 사용하기 위해서 아래의 사이트를 참고하시기 바랍니다. 스타일에서 아티스트를 선택하면 정말 다양한 화풍으로 작업하실 수 있습니다.
https://github.com/willwulfken/midjourney-styles-and-keywords-reference

- 인공지능은 딥러닝을 통해서 이미지를 학습해서 AI이미지로 재생성해줍니다. 전 세계적으로 고양이가 사랑받고 있기 때문에, 그만큼 인터넷상에 고양이의 사진 데이터가 무궁 무진하기 때문에, 미드저니에서도, 고양이 이미지가 정확하게 잘 나오는 편입니다.

- 구글에 고양이라는 단어를 검색해보시면 실감 하실 수 있을 것입니다. 그럼, 고양이 이미지를 생성해 보도록 하겠습니다. 앞서 설정했던 것처럼 이번에도 프롬프트에 DSLR camera, 50mm lens 라는 키워드를 추가시켜서 제가 실제로 촬영한 사진 처럼 생성했습니다.

- 카메라는 종류가 매우 많기 때문에 여러분께서 좋아하는 브랜드의 카메라를 키워드로 입력해 보면서 실험해 보시는 것도 즐거울 것입니다.

- 아래에 프롬프트 생성하기에 키워드로 사용하기 좋은, 카메라 종류를 몇가지 추천해 드리겠습니다.

Canon EOS 5D MARK IV : 초상화, 풍경을 표현하기에 좋습니다.

Kodak Porta 800 Film : 노스탤지어 스타일을 표현하기에 좋습니다.

A cat comfortably seated on a sofa, basking in the warm sunlight of a peaceful afternoon, inside a beautiful foreign house, the light creating soft shadows and highlights around the serene setting, high-definition, DSLR camera, 50mm lens --ar 2:3 --s 250 —v 6.0

- 고양이가 쇼파에 앉아있는 평화로운 오후시간을 이미지로 표현하기 위한 프롬프트로 이미지를 생성했습니다. 위의 프롬프트를 생성했던 방법은 뒤에서 자세하게 알려드리도록 하겠습니다. 챗GPT를 이용해서 프롬프트를 생성해서 그대로 사용해본 다음에, 키워드를 추가하거나, 여러분이 가지고 있는 프롬프트로 재구성해서 사용하시면 됩니다.

- 위의 이미지를 보시면 아시겠지만, 나른한 고양이의 표정과 제가 원했던 따뜻한 햇빛의 느낌도 잘 표현되었습니다.

- 여러분은 어떤 이미지가 생성되셨을지 궁금합니다. 그럼, 이번에는 동일한 프롬프트를 이용하고, niji로 이미지를 생성해 보겠습니다. niji는 동화책이나, 애니메이션에 사용할 이미지로 사용하실 때 정말 유용하게 사용하실 수 있습니다.

[2]A cat comfortably seated on a sofa, basking in the warm sunlight of a peaceful afternoon, inside a beautiful foreign house, the light creating soft shadows and highlights around the serene setting, high-definition, DSLR camera, 50mm lens --ar 2:3 --niji 5 --s 250

- 같은 프롬프트를 입력했지만, niji로 생성된 이미지는 또다른 매력을 가지고 있습니다. 미드저니/niji 중에서 더 어울리는 이미지를 선택해서 여러분의 작품으로 사용하시면 됩니다.

- 참고로 미드저니로 이미지를 생성할 때에 같은 프롬프트를 가지고 생성된 이미지에서도 또 한번 수정하는 과정을 거치게 될 때가 있는데, 위의 이미지를 예시로 설명하도록 하겠습니다.

- Vary(Region) 을 이용해서 여러분이 수정하고 싶은 부분을 선택하시면 됩니다. 고양이 머리 위에 있는 물체를 사라지게 하고 싶어서, 이미지를 변경해 보도록 하겠습니다.

- 원하는 부분을 선택해서 수정해 줍니다. 포토샵을 사용하지 않아도 미드저니에서 바로 수정작업이 가능하다는 것이 큰 매력입니다. PC 뿐만 아니라 모바일에서도 위와 같은 수정작업이 가능합니다.

2) 사용된 프롬프트는 echoesofthepast11.com에서 영감을 받았습니다.

Press the arrow to submit

- 이제 완성된 결과물입니다. 고양이에 더 시선이 집중되기를 원해서, 고양이의 머리 위에 매달려있던 장식품을 제거했습니다. 취향에 따라 다른 부분이고, 맞다 틀리다 정답이 없기 때문에 여러분이 원하시는 대로 마음대로 수정하시거나, 아니면 그대로 보기에 좋으시면 수정하지 않으셔도 됩니다.

- 작품의 완성은 AI가 해줄 수 없으며, 오직 아티스트만의 영역이기 때문에 저희가 AI와 협업하는 관계이지만 모든 결정권은 저희에게 있다는 것을 항상 명심하시기 바랍니다. 그리고, 전시회에 출품하는 작품의 경우에는 무료 툴인 포토스케이프X 에서 색채, 선명도 등 조금 더 집중적으로 편집작업을 하는 점도 참고해 주시기 바랍니다.

- 포토스케이프X는 무료로 사용 가능하며, 간단하게 사진크기 편집, 해상도 DPI도 변경할 수 있어서 추천드리는 프로그램입니다. 다음 챕터에서 사용방법을 자세히 알려드리겠습니다.

- 이번에는 귀여운 햄스터의 모습을 생성해 보겠습니다. 미드저니 /niji를 활용해서 재밌는 실습을 해보겠습니다. 같은 프롬프트를 사용하지만, 어떻게 다르게 생성되는지 비교해 보면서 즐겁게 따라와 주시기 바랍니다.

cute hamster, Shamrocks,Green and orange balloons and wreaths, in the style of photo-realistic, Saint Patrick's Day, 32k uhd --s 250 --v 6.0

- 사실적인 이미지를 선호하신다면, photo-realistic 키워드를 프롬프트에 사용하시면 됩니다. 여러분도 이렇게 좋아하는 키워드를 저장해 두셔서 사용하는게 나만의 화풍을 만드시길 바랍니다.

- professional photography 키워드를 사용하셔도 전문 사진가가 촬영한 느낌으로 이미지를 생성하실 수 있으니, 참고해 주시기 바랍니다.

- 평소에 좋아하는 동물, 소재들도 떠오를 때마다 메모해 두는 습관을 가지시면 작업 속도도 훨씬 빨라집니다. 미드저니라는 도구를 통해 아이디어 스케치, 메모장처럼 사용하면서 여러분의 일상생활을 이미지화 시키는 것도 추천드립니다.

cute hamster, Shamrocks,Green and orange balloons and wreaths, in the style of photo-realistic, Saint Patrick's Day, 32k uhd --s 250 --niji 5

- 사랑스러운 햄스터 이미지가 생성되었습니다. 사실적인 이미지로도 귀엽지만 niji를 이용해서 만든 이미지는 애니메이션에 사용해도 손색이 없을만큼 고퀄리티로 생성되었습니다.

- 이번에는 Zoom out 1.5x를 이용해서 이미지를 수정해 보도록 하겠습니다.

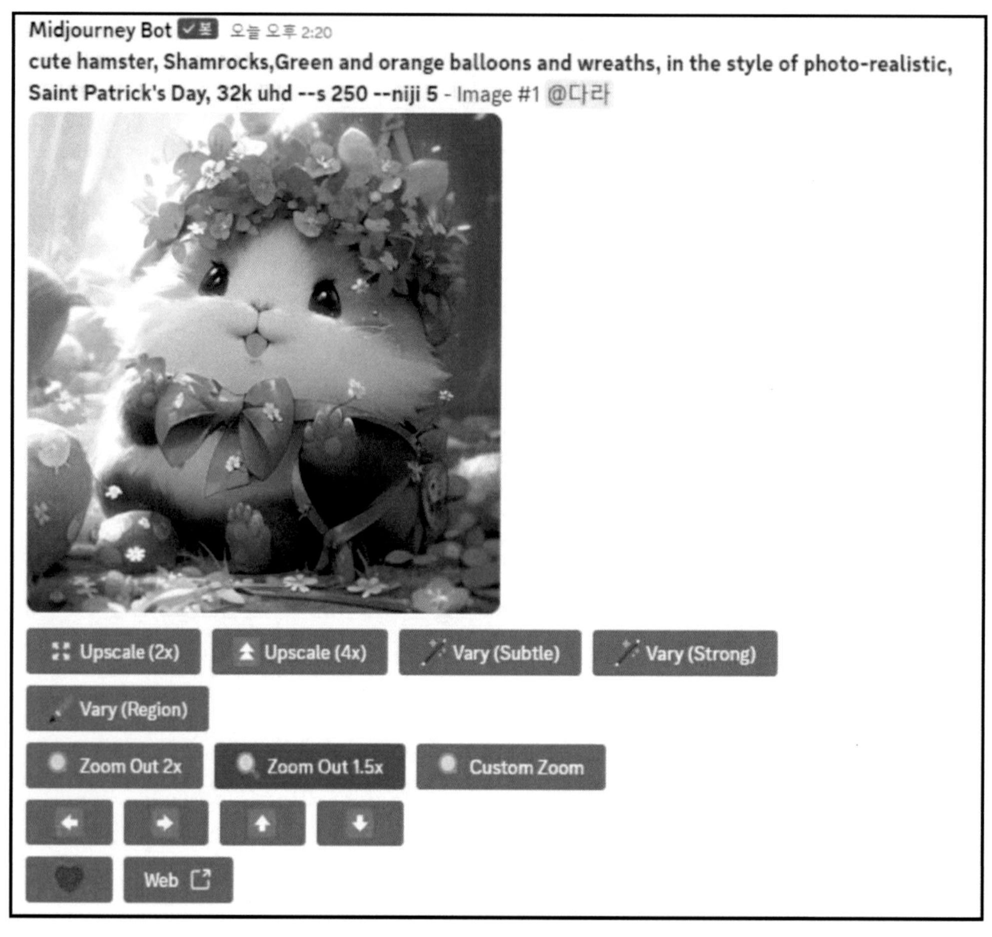

- Zoom Out 2x 또는 Zoom Out 1.5x를 이용해서 이미지를 확장시킬 수 있습니다. 이미지를 비교해 보시면, 뒷배경이 더 확장되어서 생성된 것을 확인하실 수 있습니다.

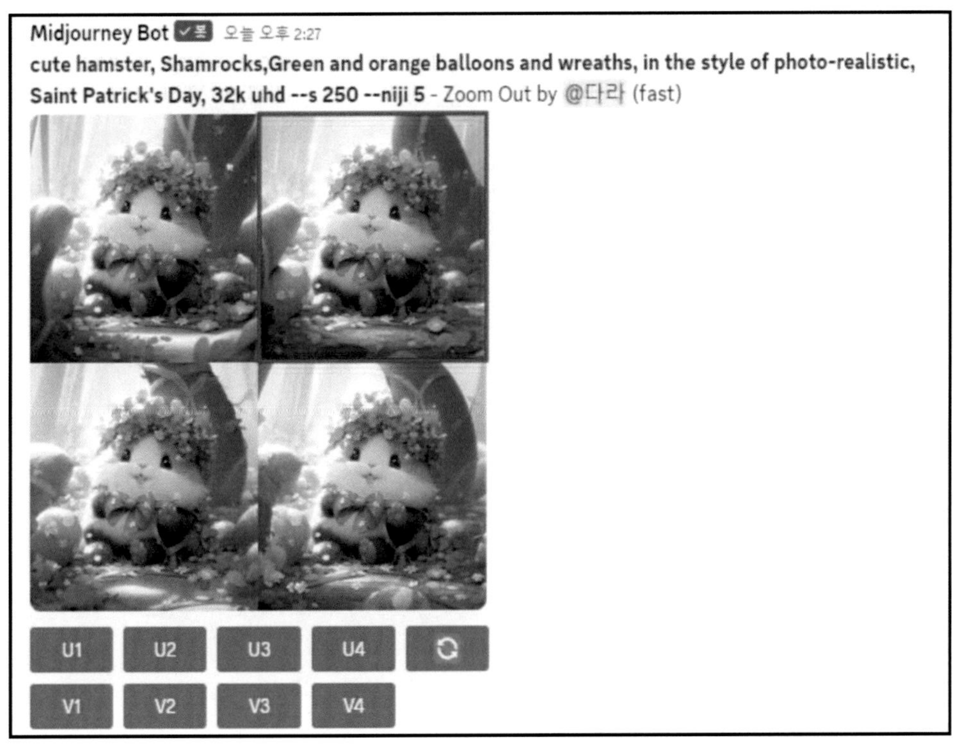

- 두번째 이미지를 선택하겠습니다. 여러분도 이렇게 원하시는 이미지가 생성될 때까지 다양한 방식을 이용해서 수정해 보시기 바랍니다. 전시회에 출품할 때에는 더욱더 집중적으로 수정 작업을 하는 것이 좋습니다. 뒤에서 또 설명 드릴 예정이지만 이대로 출품하지 않고, 포토스케이프X에서 색감을 조절해서

완성도를 높이는 작업을 하고, 해상도와 DPI까지 전시출품 기준에 맞춰서 작업한 이후에 출품하셔야 합니다. 이 과정도 다음 챕터에서 자세하게 알려드리도록 하겠습니다.

- 이미지가 완성되었습니다. 위에서 말씀드렸던 것처럼, ZOOM 과정은 선택사항입니다. 여러분이 원하시는 경우에만 옵션처럼 사용하시면 됩니다. 햄스터가 살고 있는 마을의 이미지를 더욱 부각시켜서 영상작업을 하기 위해서 Zoom Out 과정을 거쳤습니다.

귀여운 햄스터가 살고 있는 마을의 모습이 더 궁금해져서 조금 더 줌아웃 기능을 사용하겠습니다.

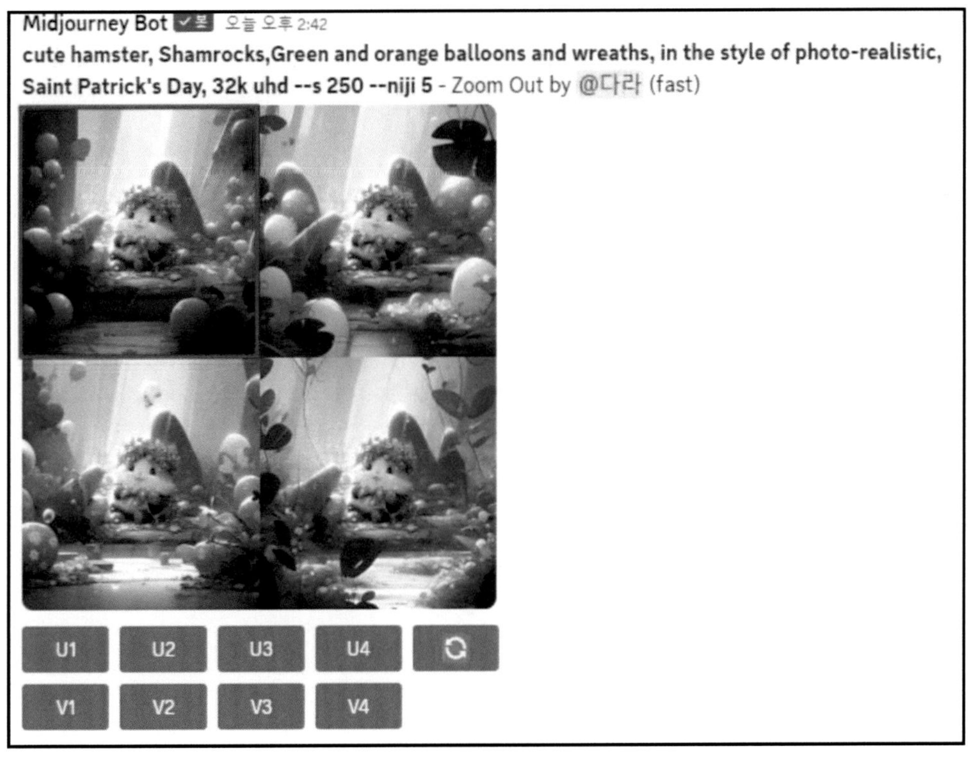

- 첫번째 이미지가 가장 마음에 들어서 선택하겠습니다. 귀여운 햄스터가 사는 마을의 모습을 줌 기능을 이용해서 더 확장해서 표현해 보았습니다. 줌기능은 배경 이미지 작업에서 확실히 유용하게 사용됩니다. 게임, 애니메이션 배경작업을 하시는 분들이라면 필수로 사용하셔야 할 기능이기 때문에 다시 한번 강조드려 봅니다.

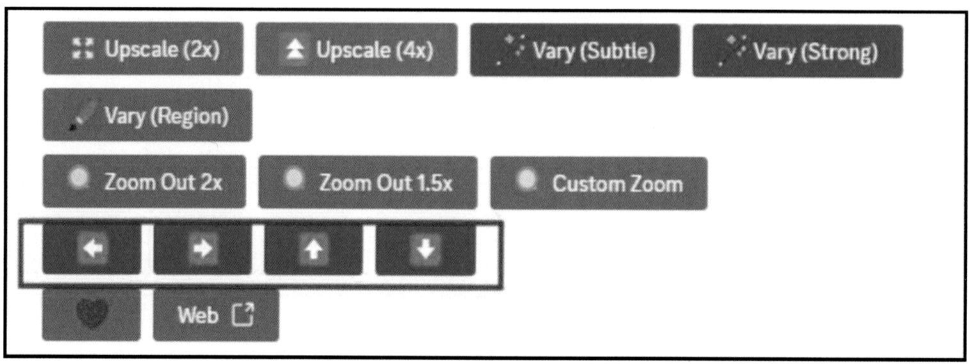

- 위에 보이시는 화살표 버튼을 이용해서 더 이미지를 확장 시켜 보겠습니다. 다양하게 시도한 결과 좌우로 확장했을 때, 가장 만족스러운 결과물이 생성되었습니다.

- 게임 메인화면으로 사용해도 될만큼 마음에 드는 이미지입니다. 구도와 조명, 그리고 햄스터들의 표정과 시선방향까지 모든것들을 다 고려해서 선택한 이미지입니다. 컨셉을 잡고, 이미지를 생성하고, 수정할 부분을 찾아서 편집합니다.

- 줌아웃 기능을 이용해서 확장해 보고, 이 모든 것들의 결과물을 바라 볼때의 만족감을 여러분도 느껴보시기 바랍니다. 앞서 말씀드렸던 것처럼 여러분이 만들고자 하는 이미지가 어떤 목적으로 사용되는지에 따라서 위에 말씀드린 과정은 더 추가 되거나 생략될 수 있습니다.

사실적인 이미지 뿐만아니라, 애니메이션 느낌도 미드저니에서 훌륭하게 생성됩니다.

- 다음은 신비로운 소녀의 이미지를 주제로 생성해서 다양한 분위기를 만들어 보도록 하겠습니다. 그리고 niji를 이용해서 판타지적인 요소를 포함한 프롬프트로 생성해 보도록 하겠 습니다.

A beautiful curly blonde young girl with striking blue eyes, communicating with a mystical creature in an ancient forest. The magical encounter is highlighted by the mystical light filtering through the trees, casting enchanting shadows on her face --s 500 --niji 5 —ar 2:3

- 위의 프롬프트에 movie라는 키워드를 추가해서 이미지를 다시 생성해 보겠습니다. 위의 프롬프트 앞에 movie만 추가하시면 됩니다. movie 뿐만 아니라 여러분이 원하시는 키워드를 마음대로 추가해 보면서 이미지를 생성하시는 것도 추천드립니다.

생각하지도 못했던 이미지를 만나실 수 있습니다. 그리고 blend 기능을 이용해서 두 가지 이미지를 합성하는 것도 꽤 흥미로운 작업입니다.

movie, A beautiful curly blonde young girl with striking blue eyes, communicating with a mystical creature in an ancient forest. The magical encounter is highlighted by the mystical light filtering through the trees, casting enchanting shadows on her face --s 500 --niji 5 --ar 2:3

- 웅장한 드래곤의 모습이 중심에 위치하면서, 무게감이 잡힌 이미지가 생성되었습니다. 애니메이션 이름을 넣어서 작업하면 애니메이션 포스터가 완성될 것입니다.

- 나중에 여러분만의 애니메이션을 만드실 때, 사용해 보시면 좋겠습니다. 이번에는 마지막으로 화풍을 추가해서 만들어 보겠습니다.

  다양한 프롬프트를 사용하는 것도 좋지만, 같은 프롬프트에 다양한 변화를 주면서 어떤 차이가 생기는지 알아보면서 실험하는 것도 미드저니와 친해지는 데에 매우 효과적인 방법입니다.

Painting By Vilhelm Hammershoi,A beautiful curly blonde young girl with striking blue eyes, communicating with a mystical creature in an ancient forest. The magical encounter is highlighted by the mystical light filtering through the trees, casting enchanting shadows on her face --s 500 --v 6.0 --ar 1:1

- 동일한 프롬프트를 사용했는데도, 완전 분위기가 다른 이미지가 생성되는 것을 확인했습니다. 그럼, 지금부터는 그림을 그리는 도구도 한번 설정해 보겠습니다. 색연필, 유화, 수채화 등 여러분이 원하는 대로 마음껏 AI로 그림을 그릴 수 있습니다.

4.3 다양한 화풍의 이미지 생성

- 귀여운 강아지를 수채화 느낌으로 그려보도록 하겠습니다. 수채화로 그린 것 같은 이미지를 생성할 때에는, 프롬프트에 Watercolor Sketch, Watercolor painting, Watercolor on textured paper 중에서 선택해서 키워드를 사용하면 효과적입니다.

  저는 위의 키워드 중에서 Watercolor painting, Watercolor on textured paper 두 가지 키워드를 모두 사용했습니다.

Cute puppy, Detailed depiction of a fluffy, playful puppy with expressive eyes and a wagging tail, In a cozy, sunlit garden full of colorful flowers and green grass, The scene radiates warmth, joy, and the comforting feel of a lazy afternoon, Watercolor painting, Watercolor on textured paper using a variety of brush sizes to achieve delicate color gradients and detailed fur texture --s 250 --v 6.0

- 너무 사랑스러운 강아지 이미지가 생성되었습니다. 수채화 느낌과 함께, 털 표현이 너무 자연스럽고, 부드러운 질감이 느껴지는 만족스러운 결과물이 완성되었습니다.

- 원하는 강아지의 모습과 분위기, 장소 등을 구체적으로 챗GPT에게 프롬프트로 만들어달라고 지시해서, 그 결과물로 얻은 프롬프트를 사용했다는 것을 강조 드리고 싶습니다. 그럼, 이번에는 유화 느낌으로 토끼 이미지를 생성해 보겠습니다. 유화느낌의 이미지를 생성할 때 사용한 키워드는 Oil painting입니다.

A vibrant depiction of a rabbit exploring a garden as the first signs of spring emerge, with sprouting plants and early blooming flowers, The setting is a garden at the cusp of spring, Oil painting, Utilizing a bright and fresh color palette and delicate brushwork to capture the softness of the rabbit's fur and the crispness of the new foliage, emphasizing the rejuvenating atmosphere of spring --s 250 --v 6.0

- 바로 출력해서 거실에 걸어두어도 손색이 없을 만큼 멋진 작품이 완성되었습니다. 여러분이 좋아하는 동물들을 다양하게 표현해 보시면 즐겁게 작업하실 수 있습니다.

- 평소에 여러분이 좋아하는 동물, 예를 들어서 고양이, 강아지, 토끼를 주제로 작업하신다면 앞에서도 말씀드렸지만 미드저니에서는 동물의 형태가 완벽하게 구현되는 편이라서 연습하실 때 정말 많은 도움이 됩니다.

- 하지만 AI의 한계 때문에 가끔은 형태가 일그러지거나, 다르게 나올 때도 있습니다. 그런 경우에는 간단하게 미드저니에서 바로 수정하실 수 있기 때문에 걱정하지 않으셔도 됩니다.

Detailed rose study, A meticulously detailed study of a rose, highlighting its texture, color variations, and the natural perfection of its form, Positioned as if under scientific observation, with attention to botanical accuracy and the intricate beauty of its structure, Colored pencil, techniques to capture the fine details of the rose, --s 250 --v 6.0

- 이번에는 색연필 세밀화, 장미꽃을 생성해봤습니다. 어떠실까요? 장미꽃잎의 질감표현이 정말 놀랍습니다.

- 미드저니에서는 동물 뿐만 아니라 다양한 꽃들의 표현도 사실적이면서도 아름답게 표현 됩니다.

4.4 describe 기능을 사용한 이미지 생성

- 다음으로는 /describe 기능을 이용해서 그림을 가져와서 이미지를 변형해서 생성하는 방법을 알아보도록 하겠습니다. /describe 기능은 앞으로 여러분이 많이 사용 하실텐데, 평소에 구글 등을 통해서 이미지를 수집하시고, 그 이미지들을 위의 기능을 통해서 재생성하는 과정을 반복하시면 그 매력에 푹 빠지게 되실 겁니다.

/ 를 누르면 자주 사용하는 목록이 뜨는데요. 만약에 이렇게 보이지 않으신다면 /describe를 입력하시면 그 다음부터는, describe를 다 입력하지 않으셔도 클릭 한번으로 선택 가능하신 점을 참고해 주시기 바랍니다.

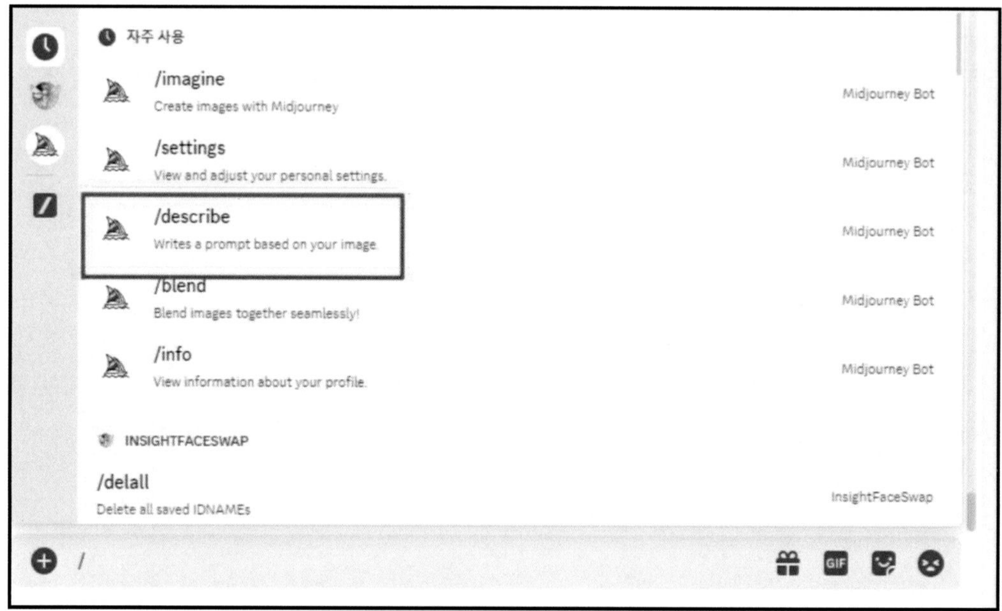

- 그다음에는 image와 link 중에서 선택하라는 목록이 뜨는데요. 여기에서 image를 선택해 주시면 됩니다. 위에서 보여드린 사슴 이미지를 불러오도록 하겠습니다. 여러분은 원하시는 이미지를 불러오시면 됩니다.

다라 님이 /describe(을)를 사용함

Midjourney Bot ✓봇 오늘 오전 2:12

1 iridescent bickle, luminous, glassmorphism, cute baby deer, sitting in the garden, purple flowers, glowing lights, sparkles, iridescence, holographic, glossy, reflections, octane render, hyper realistic, full body shot, wide angle, cinematic, photography, depth of field, in the style of octane render --ar 21:32

2 iridescent holographic colored fawn sculpture, in the garden, flowers, bokeh effect, cinematic light, hyper realistic photo in the style of an artist --ar 21:32

3 Iridescent opalescent shiny silver plastic deer sculpture, glowing purple eyes, sitting in a garden of flowers, magical, fantasy, pastel colors, blue hour lighting, photographed in the style of hyper realistic photography. --ar 21:32

4 iridescent opalescent shiny glossy plastic deer sculpture, cute chibi style, in the background is a garden of purple flowers, evening lighting, in the style of hyper realistic photography --ar 21:32

- Imagine all을 선택하면 총 4가지 종류의 이미지가 생성됩니다. 그중에서 가장 맘에 드는 이미지를 선택했는데, 완전 똑같은 이미지로는 생성되지 않고, 느낌이 비슷하거나 다르게 나올 수도 있으니 몇 번의 생성을 거쳐서 가장 마음에 드는 이미지를 찾아 주시면 됩니다.

- 풍경과 따뜻한 자연광이 어루어진 사랑스러운 사슴이 생성되었기에 한 가지를 선택했습니다. 여기서 작업을 멈추셔도 되며, 아까 설명 드린 방법을 이용해서 세밀한 곳을 수정, 편집하는 과정을 가지셔도 됩니다.

tip) Vary (Subtle)과 Vary (Strong) 기능을 이용해서 이미지에 변형을 경험해 보는 것도 추천드립니다. 여러분이 작업할 때 많이 사용하시게 될 기능 중에 하나이기도 합니다. Vary (Strong)은 좀 더 큰 변화를 주며, Vary (Subtle)은 선택한 이미지에서 미묘한 변화를 주기에 좋습니다. 둘 다 선택해서 원하는 결과물을 선택하시면 되겠습니다.

4.5 실생활에 필요한 디자인 이미지 생성

- 이번에는 미드저니를 이용해서, 상품 이미지에 대한 아이디어를 얻어보도록 하겠습니다. 특정 키워드를 쓰지 않아도 다양한 이미지를 생성해 주기 때문에, 내가 생각하지 못했던 영감을 얻을 수 있습니다.

- 미드저니를 어려워하시는 부분 중에, 하나가 내가 뭔가를 직접 다 프롬프트를 작서하고 특별한 키위드를 넣고, 대단한 아이디어를 가지고 있어야 멋진 작업물이 나올거라고 생각하셔서 시도를 못하는 분들을 많이 봤습니다.

- 미드저니를 쉽게 접근하실때에 더 좋은 결과물을 얻는 날이 많습니다. 미드저니는 밀당이 필요한 친구입니다. 어렵게 생각하면 끝도 없이 어렵지만, 가깝게 지내면 그 누구보다도 나와 친한 동료가 되어줍니다.

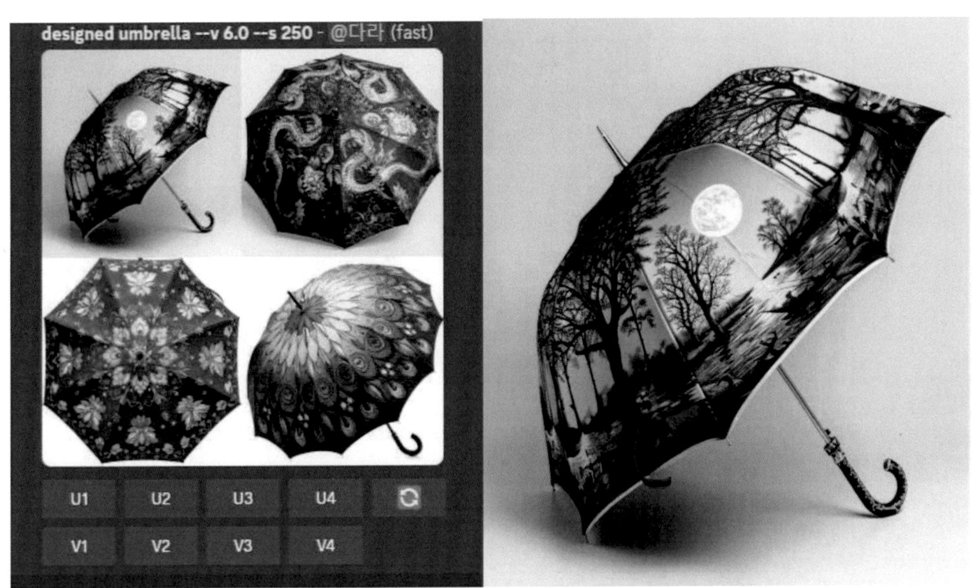

- 예를 들어서 우산디자인을 하고 싶으시면, 특정 키워드 없이 우산이라는 단어만 프롬프트로 작성해주셔도 이렇게 다양하고 멋진 패턴디자인의 우산 이미지를 생성해줍니다.

- 여기에서 영감을 얻어서 주제를 선택하고, 내가 좋아하는 컬러와 디자인적 요소들을 프롬프트에 추가하셔서 작업해 주시기 바랍니다. 이번에는 담요 디자인을 해보도록 하겠습니다.

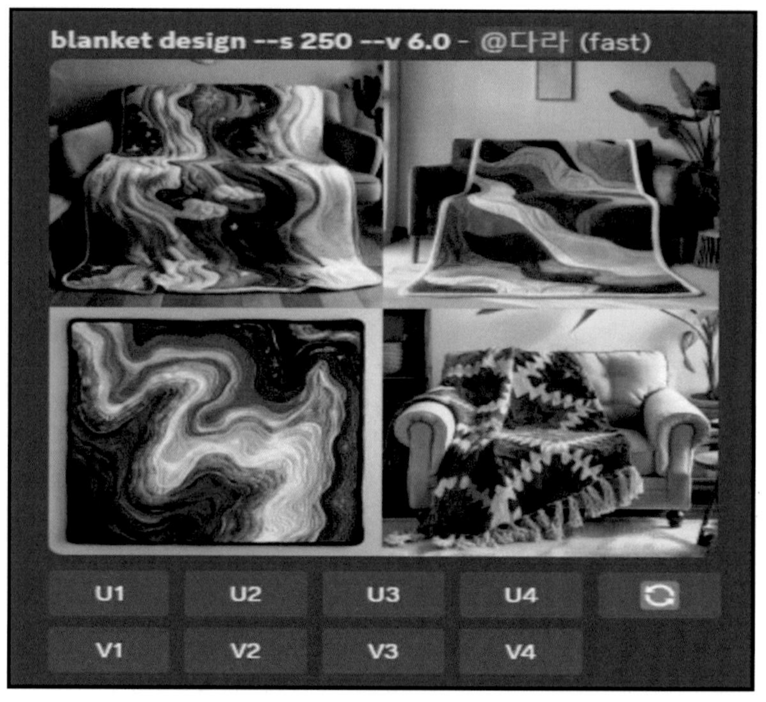
blanket design --s 250 --v 6.0 - @다라 (fast)
U1
U2
U3
U4
V1
V2
V3
V4

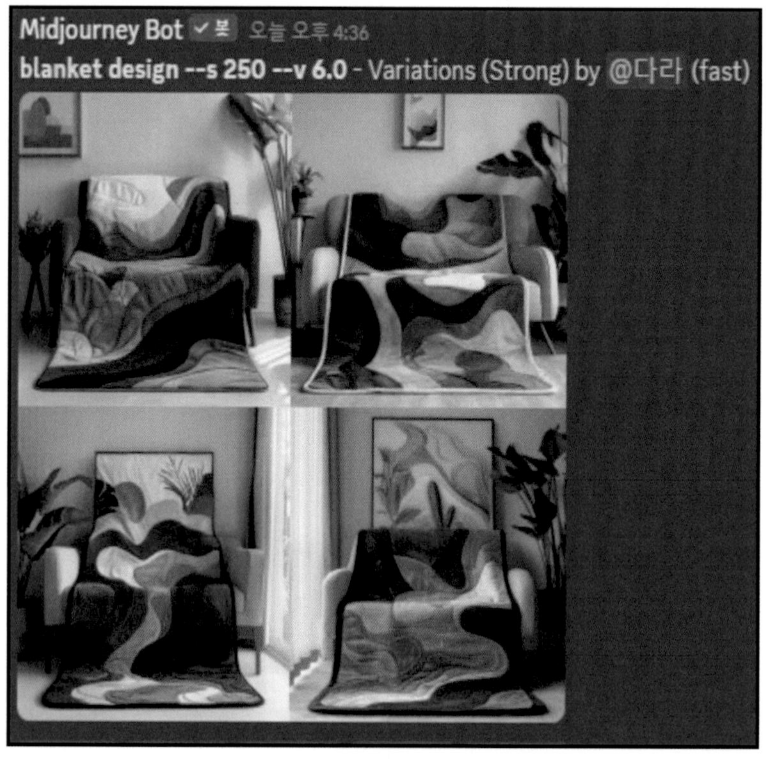
Midjourney Bot ✓봇 오늘 오후 4:36
blanket design --s 250 --v 6.0 - Variations (Strong) by @다라 (fast)

- Vary(Strong) 기능을 이용해서 최종적으로 디자인을 선택했습니다. 상품판매 이미지로 사용해도 될 만큼 퀄리티가 훌륭합니다.

  여러분도 다양한 방식으로 상품디자인을 해보시면, 재밌는 작업을 하실 수 있습니다.

4.6 챗GPT를 이용한 프롬프트 생성방법

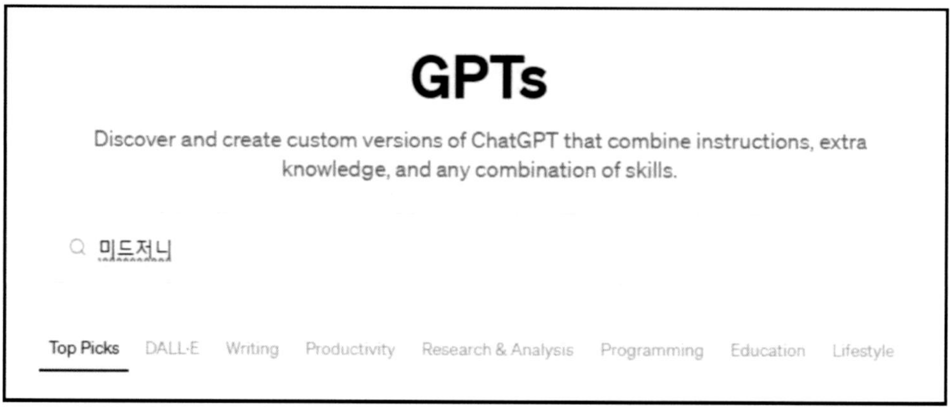

GPTs

Discover and create custom versions of ChatGPT that combine instructions, extra knowledge, and any combination of skills.

미드저니

Top Picks DALL·E Writing Productivity Research & Analysis Programming Education Lifestyle

- 챗GPTs에서 미드저니를 검색합니다. 그러면 정말 많은 종류의 미드저니 프롬프트를 생성할 수 있는 GPTs가 검색됩니다.

  목록에서 '미드저니 프롬프트를 만드는 프롬프트'를 찾습니다. 최근에 정말 많은 챗GPTs가 목록에 나타나게 되었는데, 그만큼 미드저니에 대한 관심이 높아지고, 사용자들도 많아진 현상입니다.

- 찾으셨다면, 예시 프롬프트 중에서 선택해 주시면 됩니다. 저는 '날렵한 치타를 세련된 로고 스타일로 그려줘'를 선택하겠습니다. 4가지 정도의 프롬프트를 생성해 주며, 가장 마음에 드는 것을 선택하신 다음에 ctrl + C 복사해줍니다.

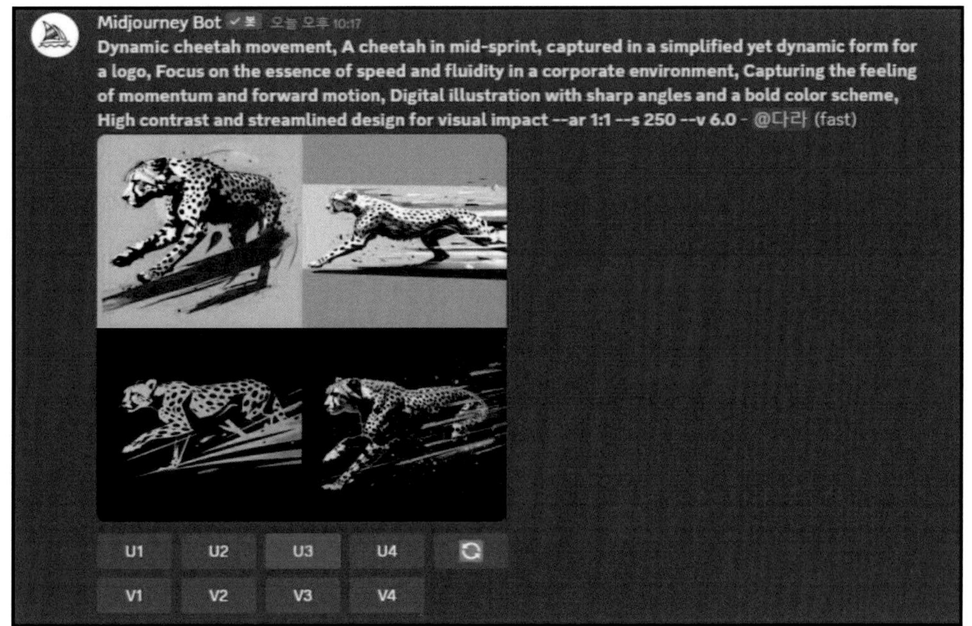

- 다이내믹한 움직임을 강조한 로고 디자인을 선택해서 이미지를 생성하겠습니다. 미드저니 디스코드에 복사 붙여넣기합니다.

  ctrl + c (복사) ctrl + v (붙여넣기)

  치타의 날렵한 움직임이 느껴지는 로고가 생성되었습니다. 이 중에 아래에서 왼쪽 이미지를 선택하기 위해 U3를 선택해서 업스케일 해보겠습니다.

- 강렬한 블랙 배경과 치타가 대조적으로 표현된 멋진 이미지가 생성되었습니다. 여기에 원하시는 문구를 넣으시면 홍보 이미지로도 손색이 없이 사용하실 수 있습니다.

- 다른 프롬프트를 이용해서 이미지를 더 생성해보겠습니다. 이번에는 예시가 아니라, 제가 직접 원하는대로 작성한 키워드를 통해 만들어진 프롬프트를 사용하겠습니다.

You

귀여운 소녀가 원피스를 입고, 네덜란드 튤립 들판위에서 웃고있는 모습을 그려줘.

미드저니 프롬프트 만드는 프롬프트

1번 프롬프트: 행복한 소녀와 네덜란드 튤립 들판

/imagine prompt: Joyful girl in a dress, A cute girl wearing a one-piece dress, laughing joyfully amidst a Dutch tulip field, Surrounded by vibrant colors of tulips under a clear blue sky, The scene radiates happiness, innocence, and the beauty of spring, Digital painting, Detailed brushwork to capture the textures of the tulips and the light fabric of the dress --ar 16:9

2번 프롬프트: 애니메이션 스타일의 원피스 소녀와 튤립 들판

/imagine prompt: Animated girl among tulips, An adorable girl in a flowy one-piece dress, smiling and playing in a field of Dutch tulips, The animated style brings out the lively energy and colors of the scene, The atmosphere is filled with joy, playfulness, and the charm of early summer, Japanese animation style, Bright colors and exaggerated expressions for a heartwarming effect --ar 16:9 --niji 5

3번 프롬프트: 사진 리얼리즘과 네덜란드 튤립 들판

/imagine prompt: Smiling girl in tulip field, A young girl in a one-piece dress, captured in a candid moment of laughter in a Dutch tulip field, The realistic photo showcases the genuine happiness and the natural beauty of the tulips, Evoking feelings of warmth, joy, and the splendor of nature, Photography, Shot in natural light with a DSLR, using a wide aperture to create a shallow depth of field --ar 16:9

- 다양하게 챗GPT가 생성해 준 프롬프트 중에서 2번 프롬프트를 선택해서 미드저니에 복사/붙여넣기 해보겠습니다.

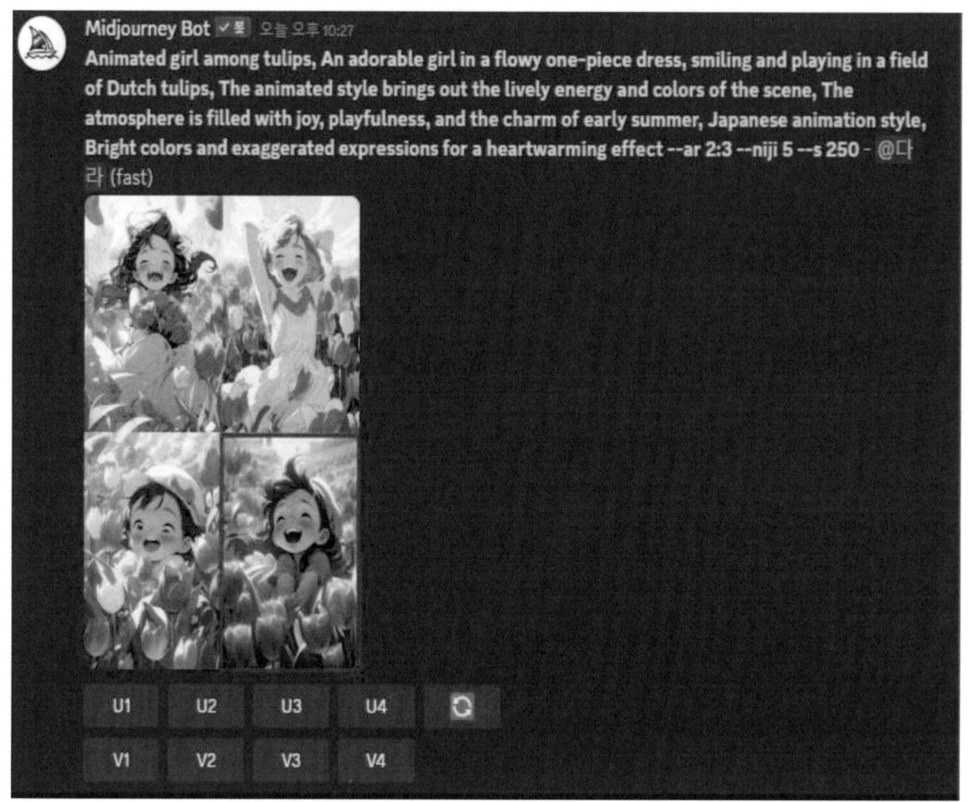

- niji를 이용해서 만든 이미지가 생성되었습니다. 네 번째 이미지를 이용해서 결과물을 만들어 보도록 하겠습니다. 중요한 것은, 챗GPT가 스스로 리얼리즘, 애니메이션 느낌 등 내가 정하지 않아도 다양한 스타일로 프롬프트를 생성해 준다는 것입니다.

- 따라서 여러분이 평소에 원하시는 주제들을 메모해 두셨다가 챗GPT와 협업으로 프롬프트를 생성하신 다음에, 여러분만의 프롬프트로 만들어 가시면서 메모장에 저장하시면서 작업하시는걸 추천드립니다.

- 미드저니 내에서 앞에서 알려드린 수정, 편집 기능들을 통해서 최종적으로 생성된 이미지입니다. 동화책을 제작할 때에, 사용하면 어울릴만 한 귀여운 캐릭터가 완성되었습니다. 지금까지 알려드린 내용들을 토대로 작업하시면 여러분도 충분히 AI아티스트가 되실 수 있습니다.

- 그럼 다음 챕터로 넘어가기 전에, 포토스케이프를 사용해서 이미지 DPI 설정하는 방법을 알려드리도록 하겠습니다. 업스케일의 경우에는 미드저니에서 최대 4X까지 가능합니다.

4.7 포토스케이프에서 이미지크기 & DPI 설정하기

- 포토스케이프는 구글에서 '포토스케이프X'라고 검색하시면 찾으실 수 있습니다.

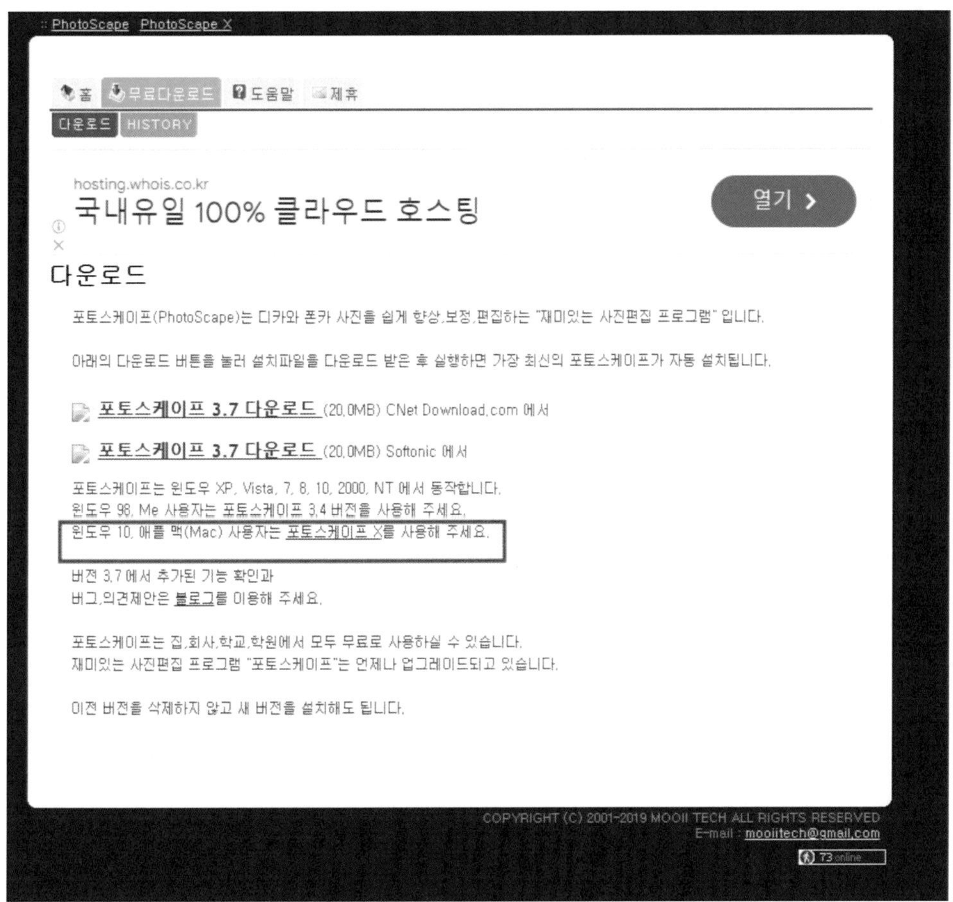

- 윈도우10, 애플 맥(Mac) 사용자는 포토스케이프 x를 사용해주세요를 클릭하시기 바랍니다. 여러 가지 다운로드가 있지만 고민하지 마시고, 빨간색 테두리안에 있는 포토스케이프X 링크를 클릭합니다.

클릭하시면 다음과 같은 화면이 나타나게 됩니다. 같은 화면인지 확인해주시기 바랍니다

- 다음과 같은 화면이 보이면 계속 진행해 주시면 됩니다. 윈도우를 사용하시는 분은 왼쪽의 다운로드를 선택해서 클릭하시고, MAC을 사용하신다면 오른쪽의 다운로드를 클릭해주세요. 이 과정을 모두 마치셨다면 포토스케이프X를 설치하실 수 있습니다.

1. 이미지 크기조절하기

- 미드저니에서 업스케일된 이미지를 가져옵니다. (최대 4X) 포토스케이프X 메뉴- 크기조절을 클릭합니다.

- 가로:세로 비율 유지 체크를 해제하면 여러분이 원하시는 대로 가로 폭, 세로 높이를 조절할 수 있습니다. 가로:세로 비율을 유지 시키면서 크기를 변형하고 싶으시다면, 체크를 유지하면 됩니다.

2. DPI 설정하기

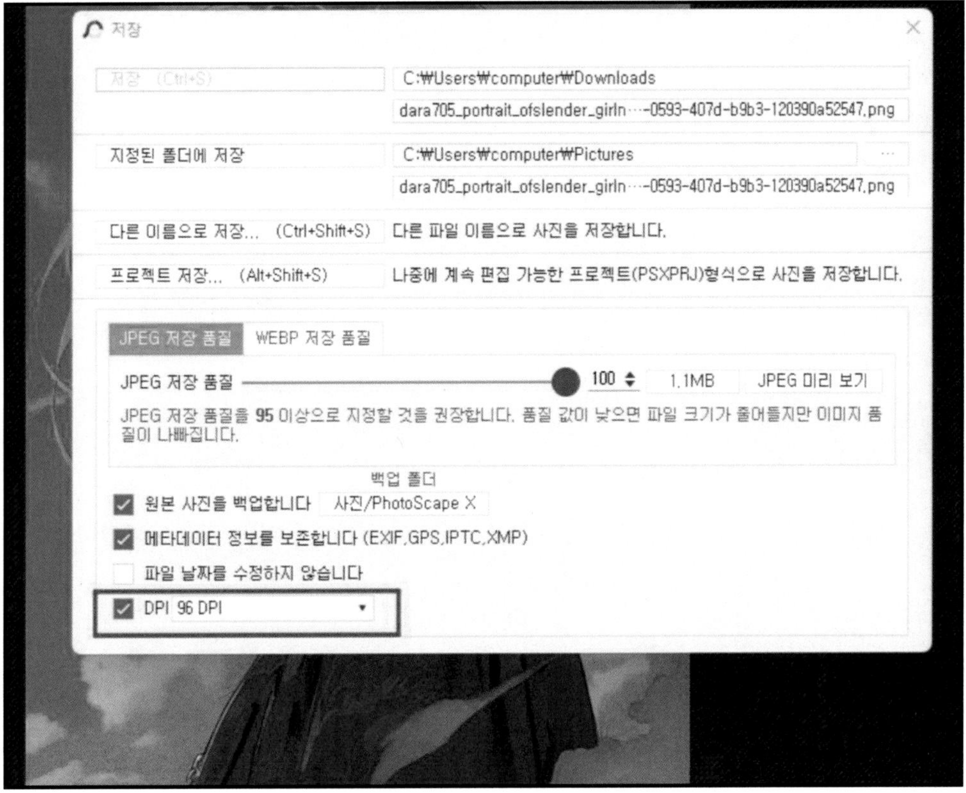

- 포토스케이프X 창을 보시면 하단에 '저장'이 있습니다. 저장을 클릭하시면 하단에 DPI라는 항목이 있는데 처음에는 체크가 되어 있지 않습니다. 여기를 체크 하시면 다양한 해상도를 선택 가능합니다.

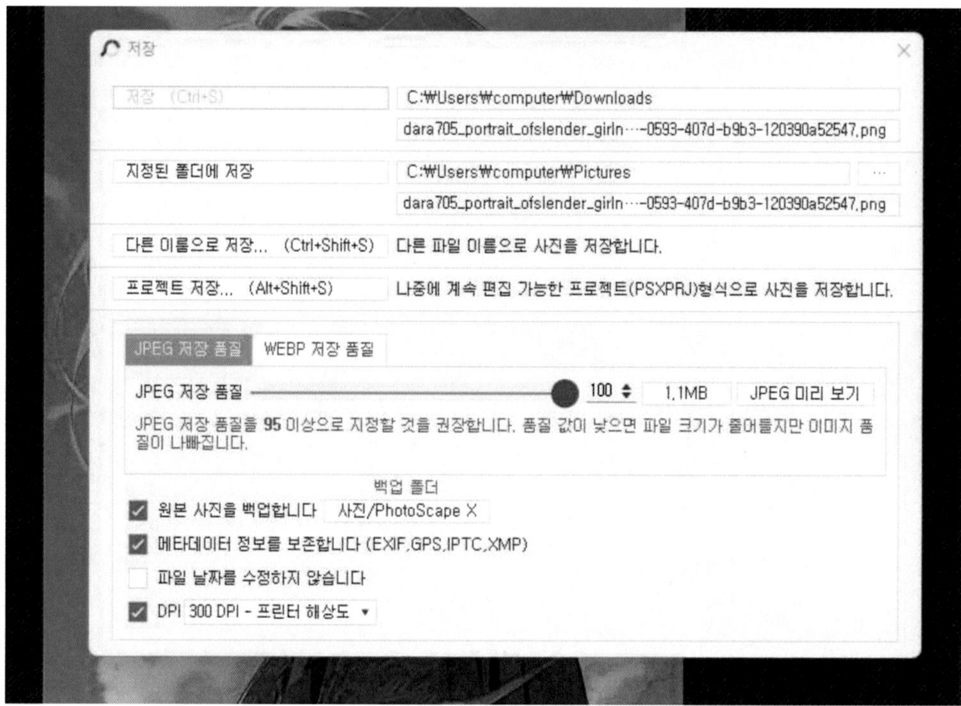

- 96DPI부터 설정하실 수 있는데, 대부분 출품하실 때는 300 DPI에 맞추시는 경우가 많이 있어서 그 기준에 맞춰서 설정해봤습니다.

- 최종적으로 300 DPI - 프린터 해상도로 설정 했습니다. 이와 같은 상태에서 다른 이름으로 이미지 파일을 저장하시면 완료입니다. 어느 폴더에 저장이 되었는지 잘 확인해 주시기 바랍니다. 그럼 여러분이 생성한 이미지를 전시에 출품할 준비가 다 완료되셨습니다.

Chapter #5

창의적 표현을 위한 심화 가이드

Chapter #5 창의적 표현을 위한 심화 가이드

5.1 이야기의 힘, 내러티브 구축하기

1. 이야기 구조의 이해와 구성

- 이제부터는 앞에서 알아본 미드저니를 활용하여 본격적으로 story를 써보고 동화책을 만들어 보겠습니다. 동화책을 만들기 위해서는 가장 먼저 필요한 것이 주제와 내용인데, 우리가 스스로 그 내용을 만들거나 챗GPT를 활용하여 이야기 내용을 만들어 볼 수 있습니다.

- 스토리텔링을 위해서 댄하몬(Dan Harmon)의 Story Circle 8단계를 적용해 보겠습니다.

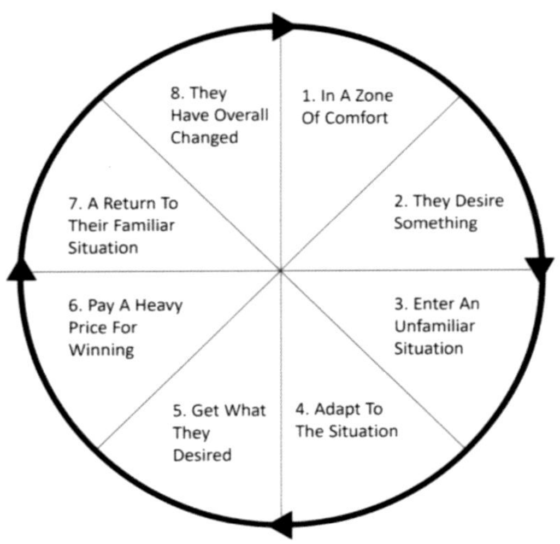

댄하몬의 Story Circle 8단계
[출처]https://industrialscripts.com/dan-harmons-story-circle/

- 댄하몬(Dan Harmon)은 미국에서 텔레비전 작품과 애니메이션 시나리오 작가, 프로듀서로 활약하면서 자신만의 스토리텔링을 위해 Story Circle 모델을 만들었는데, 그 자세한 구성과 내용은 아래 표와 같습니다.

8단계 구성			내용
1. In A Zone of Comfort	you	Setting	주인공의 환경, 소개
2. They Desire Something	need	Inciting Incident	문제 대두, 제시
3. Enter An Unfamiliar Situation	go	Refusal of the Call	해결책을 찾아 모험 떠나기
4. Adapt to The Situation	search	Response	해결책 찾기
5. Get What They Desired	find	Effort	해결책 발견, 공유
6. Pay a Heavy Price for Winning	take	Climax	결의 및 승리다짐
7. A Return to Their Familiar Situation	return	Falling Action	현상으로 복귀
8. They Have Overall Changed	change	Resolution	변화와 성장

2. Storytelling하기

1) 챗GPT를 활용하여 스토리텔링 작성하기

- 챗GPT에게 작성하고 싶은 내용의 그림동화책 내용을 써달라고 프롬프트를 입력하는데, 챗GPT가 효율적으로 내용을 작성하게 하기위해서 먼저 챗GPT에게 '그림동화책 작가'라는 역할을 부여하고 작성하고 싶은 주제로 그 내용을 댄하몬의 스토리텔링 8단계 써클에 맞춰서 작성해 달라고 입력합니다.

ChatGPT 3.5 ⌄

오늘 어떻게 도와드릴까요?

너는 그림동화책 작가야.
여신과 마녀의 전쟁 이야기로 그림 동화책을 쓰고 싶은데 Dan Harmon의 storytelling 8 단계 서클을 맞춰서 내용을 써 줘.

위와 같이 입력하여서 아래의 답을 얻었습니다.

챗GPT:

물론이죠! 여신과 마녀의 진쟁 이야기에 하몬의 8서클을 적용하는 것은 흥미로운 창작 과정이 될 것 같습니다. 하몬의 8서클은 다음과 같은 구조를 가지고 있습니다: 설정, 촉발 사건, 부인의 단계, 반응, 노력, 최고점, 결과, 그리고 결말. 이 구조를 따라 여신과 마녀의 전쟁 이야기를 구성해 보겠습니다.

설정 (Setting): 이야기는 신비로운 세계에서 시작됩니다. 여신들과 마녀들이 공존하는 이 세계는 각각의 문화와 역사를 가지고 있으며, 오랜 평화가 지속되어 왔습니다.

촉발 사건 (Inciting Incident): 평화로운 세계에 갑자기 균열이 생깁니다. 마녀 중 한 명이 강력한 마법으로 여신 중 한 명을 공격하여 전쟁의 불씨를 당깁니다.

부인의 단계 (Refusal of the Call): 여신들은 처음에는 전쟁을 피하려고 하며, 대화와 화해를 시도합니다. 하지만 마녀들은 이미 전쟁을 준비하고 있었습니다.

반응 (Response): 여신들은 자신들의 세계와 존재를 지키기 위해 결국 전쟁에 응합니다. 각 여신은 자신의 능력을 활용하여 전투를 준비합니다.

노력 (Effort): 전쟁은 치열하게 전개됩니다. 여신과 마녀들 사이의 전투는 각자의 신념과 마법의 힘을 시험하는 동시에, 두 집단 간의 오해와 갈등을 드러냅니다.

최고점 (Climax): 전쟁의 최고점에서, 여신과 마녀들의 리더는 마침내 직접 대면합니다. 이들 사이의 대결은 놀라운 비밀을 밝히며, 전쟁의 본질을 재정의합니다.

결과 (Falling Action): 비밀이 드러난 후, 여신과 마녀들은 서로를 이해하고 갈등을 해결하기 시작합니다. 전쟁은 점차 소강상태에 접어듭니다.

결말 (Resolution): 여신과 마녀들은 새로운 평화 협정을 맺으며, 서로의 차이를 인정하고 함께 공존하는 방법을 찾습니다. 전쟁은 끝나고, 그들의 세계는 새로운 시작을 맞이합니다.

위와 같이 스토리의 내용 전개에 대해 답을 얻은 후 다음에는 각 주인공에 대한 설명을 얻습니다.

2) 주인공의 이름 만들기

Q: 여신의 대장과 마녀 대장의 이름을 지어 줘

A: 물론입니다. 이야기의 주요 인물인 여신의 대장과 마녀의 대장에게 적합하고 상징적인 이름을 생각해 보겠습니다.

여신의 대장: '아리엘라' (Ariella)

- '아리엘라'라는 이름은 '사자'나 '용기 있는 자'를 의미하는 히브리어에서 유래했습니다. 이 이름은 여신의 대장이 강하고 용맹한 리더이며, 평화와 진실을 지키기 위해 싸우는 존재임을 나타냅니다.

마녀의 대장: '세라피나' (Seraphina)

- '세라피나'는 '불타는 자'를 의미하는 라틴어에서 온 이름입니다. 이 이름은 마녀의 대장이 열정적이고 강력한 마법의 힘을 가진 인물임을 상징합니다. 또한, 불꽃처럼 격렬하고 변화무쌍한 그녀의 성격을 드러내는 데에도 적합합니다.

3) 주인공 모습 묘사하기

Q: 아리엘라의 모습을 설명해 줘

A: 아리엘라, 여신의 대장의 모습을 상세하게 묘사해 보겠습니다.

- 머리카락: 아리엘라의 머리카락은 길고, 은은하게 빛나는 금발입니다.

그녀의 머리카락은 부드럽고, 햇빛에 따라 다양한 금색 톤으로 반짝이며, 종종 큰 물결 모양의 곱슬로 떨어집니다.

- 얼굴: 그녀의 얼굴은 우아하고, 섬세한 이목구비가 조화롭게 배치되어 있습니다. 크고 표현력이 풍부한 청록색 눈은 지혜와 침착함을 반영하며, 그녀의 미소는 따뜻하고 포용력이 있습니다.
- 피부: 아리엘라의 피부는 부드럽고, 옅은 황금빛 광택이 도는 밝은 톤입니다. 그녀의 피부는 건강하고 생기가 넘치며, 전투 중에도 빛을 발합니다.
- 키와 체형: 그녀는 우아하고 매혹적인 체형을 가지고 있습니다. 키는 상당히 크며, 탄탄한 근육과 우아한 곡선이 조화를 이룹니다.
- 복장: 아리엘라는 빛나는 은색과 흰색이 결합된 전투 복장을 입습니다. 그녀의 갑옷은 경량화된 특수 소재로 만들어져 민첩성을 제공하면서도 충분한 보호를 제공합니다. 어깨와 팔 부분의 갑옷은 섬세하게 조각된 디자인으로, 여신의 위엄과 용맹함을 상징합니다.

Q: 세라피나의 모습을 설명해 줘

A: 세라피나, 마녀 대장의 모습을 묘사해 보겠습니다.

- 머리카락: 세라피나의 머리카락은 깊고 어두운 밤색으로, 그녀의 강렬한 개성을 반영합니다. 길고 곧게 떨어지는 머리카락은 때때로 신비롭고 매혹적인 보라색 빛깔로 변화를 보이며, 그녀의 마법적 힘을 상징합니다.
- 얼굴: 그녀의 얼굴은 강렬하고, 신비로운 아름다움을 지니고 있습니다.

날카로운 눈매와 깊은 자주색 눈은 주변을 압도하는 카리스마를 드러냅니다. 그녀의 미소는 매혹적이면서도 약간의 위협을 내포하고 있습니다.

- 피부: 세라피나의 피부는 창백하고 거의 유령처럼 보이는 투명함을 띱니다. 이는 그녀의 신비한 마법의 세계와 깊은 연결을 나타냅니다.
- 키와 체형: 그녀는 마른 체형으로, 우아하고 기품 있는 자세를 유지합니다. 키는 중간 정도이지만, 그녀의 존재감은 그녀를 훨씬 더 커 보이게 합니다.
- 복장: 세라피나는 어두운 톤의 복장을 선호합니다. 그녀의 의상은 검은색과 어두운 보라색의 조합으로, 고급스러운 소재와 복잡한 디테일이 특징입니다. 그녀의 옷은 마법적인 보호와 강력한 마법을 사용할 수 있는 특별한 기능을 가지고 있습니다.

5.2 이미지 생성하기

1. 챗GPT활용하기

- 챗GPT를 통해 얻은 각 장면을 자세하게 묘사하고, 중요 키워드를 10개씩 영어로 추천해달라고 프롬프트를 입력합니다. 그 예시로 촉발사건(Inciting Incident) 단계를 적용해보겠습니다.

Q: “평화로운 세계에 갑자기 균열이 생깁니다. 마녀 중 한 명이 강력한 마법으로 여신 중 한 명을 공격하여 전쟁의 불씨를 당깁니다.” 이 장면을 자세하게 묘사해 줘

A: 그동안 평화로웠던 세계의 하늘은 여전히 맑고, 햇살은 따뜻하게 땅을 비추고 있었습니다. 하지만 이 평화는 갑작스런 사건에 의해 뒤흔들리게 됩니다. 숲과 들판, 그리고 마법의 정원들을 가로지르는 부드러운 바람이, 이제는 예고 없이 찾아온 위기의 전조가 됩니다.

어느 평온한 오후, 여신 중 한 명이 그녀의 영역에서 평화롭게 명상에 잠겨 있을 때, 무언가 이상한 기운이 감지됩니다. 공중을 유영하는 섬의 위, 푸른 하늘이 갑자기 어두워지기 시작합니다. 거대한 어둠의 구름이 몰려와, 마치 밤이 찾아온 듯 하늘을 가립니다.

이때, 강력한 에너지가 공기를 진동시키며 분위기는 긴장감으로 가득 찹니다. 마녀 중 한 명이, 그동안 숨겨왔던 분노와 복수의 마음을 담아, 강력한 마법을 발동합니다. 그녀의 손에서 발산된 어두운 마법의 기운은 번개처럼 하늘을 가로지르며, 여신이 명상에 잠겨 있는 섬을 향해 직진합니다.

여신은 갑작스러운 공격을 감지하고 눈을 뜹니다. 그녀의 눈은 경악으로 커지고, 순간적으로 방어 마법을 사용하려 하지만, 시간이 부족합니다. 마법의 공격은 그녀의 방어막을 뚫고, 강력한 충격과 함께 그녀를 뒤로 날려버립니다. 이 충격은 온 세계에 에코처럼 울려 퍼지며, 모든 이들이 그 충격의 파동을 느낍니다.
평화로웠던 세계는 이 순간, 예상치 못한 전쟁의 시작을 알리는 신호를 받게 됩니다. 여신의 영역에서는 혼란과 공포가, 마녀의 영역에서는 복수와 전투의 준비가 시작됩니다. 오랫동안 유지되어 온 평화는 이제 깨어지고, 두 세력 사이의 오해와 분노가 서서히 드러나기 시작합니다.

Q: 위의 이야기에 나오는 중요 키워드를 10개만 영어로 뽑아줘.

A: 물론입니다. 이야기에서 중요한 키워드 10개를 영어로 추출해 보겠습니다.

- Peaceful World (평화로운 세계)
- Sudden Disturbance (갑작스러운 균열)
- Dark Magic (어두운 마법)
- Goddess (여신)
- Witch (마녀)
- Meditation (명상)
- Magic Attack (마법 공격)
- Shockwave (충격파)
- Conflict (갈등)
- War's Onset (전쟁의 시작)

이런 방법으로 각 장면을 묘사하고 중요 키워드를 영어로 뽑아달라고 합니다.

2. Image생성을 위한 프롬프트를 만들기

- 내용이 완성되면 다음 단계는 이미지를 만드는 일입니다. 이미지 생성을 위해 챗GPT에서 미드저니 프롬프트를 생성할 수 있는 다음과 같은 plugin을 사용하면 편리합니다.

- MJ Prompt Generator
- Image Generator
- Mid Journey V6 Prompt Creator

- 이 중에 MJ Prompt Generator를 활용하여 내용을 넣어 이미지 생성 프롬프트를 만들어봅시다.

Q: “어느 평온한 오후, 여신 중 한 명이 그녀의 영역에서 평화롭게 명상에 잠겨 있을 때, 무언가 이상한 기운이 감지됩니다. 공중을 유영하는 섬의 위, 푸른 하늘이 갑자기 어두워지기 시작합니다. 거대한 어둠의 구름이 몰려와, 마치 밤이 찾아온 듯 하늘을 가립니다.” 이 내용으로 프롬프트를 생성해 줘

A: MJ Prompt Generator
이 이야기는 강렬한 마법과 긴장감 넘치는 전개를 가지고 있습니다. 여신과 마녀 사이의 갈등, 그리고 이로 인해 발생하는 세계의 변화를 중심으로 이미지를 만들어 보겠습니다. 각 프롬프트는 이야기의 핵심 장면을 포착하면서도, 배경, 캐릭터의 특징, 분위기 등을 상세히 묘사할 것입니다.

Prompt 1: /imagine prompt: A digital painting of a serene goddess meditating in her realm, surrounded by magical gardens and tranquil forests. The sky above is bright and clear, symbolizing peace and harmony. Created Using: vibrant colors, soft lighting, detailed foliage, fantasy art style, high-resolution, serene atmosphere, peaceful expressions, hd quality, natural look --ar 16:9

Prompt 2: /imagine prompt: A dramatic transformation of the sky, from bright blue to dark storm clouds, above a floating island. The dark clouds symbolize an ominous change, engulfing the once peaceful scene. Created Using: contrasting lighting, dynamic cloud formations, intense sky colors, sense of impending doom, digital art style, high contrast, hd quality, vivid style --ar 16:9

Prompt 3: /imagine prompt: An angry witch casting a powerful dark magic spell, her eyes filled with fury and revenge. Dark energy emits from her hands like lightning, targeting the peaceful island. Created Using: dark mystical energy, lightning effects, intense emotions, fantasy witch attire, dynamic pose, ominous background, hd quality, vivid style --ar 16:9

Prompt 4: /imagine prompt: A goddess suddenly awakening from meditation, her eyes wide in shock as she senses the incoming magical attack. The background is a blend of serene nature and encroaching dark energy. Created Using: expression of surprise, defensive posture, blending of serene and dark elements, magical aura, high detail, fantasy art style, hd quality, natural look --ar 16:9

Prompt 5: /imagine prompt: A depiction of the moment the dark magic hits the goddess's shield, causing a massive explosion. The shockwave is felt across the world, symbolizing the start of an unexpected war. Created Using: explosion of energy, clash of light and dark, shockwave effect, dramatic impact, fantasy war scene, high detail, dynamic composition, hd quality, vivid style --ar 16:9

3. 미드저니에서 이미지 생성하기

- MJ Prompt Generator에서 얻은 프롬프트를 활용하여 미드저니에서 이미지를 생성합니다.

A digital painting of a serene goddess meditating in her realm, surrounded by magical gardens and tranquil forests. The sky above is bright and clear, symbolizing peace and harmony. Created Using: vibrant colors, soft lighting, detailed foliage, fantasy art style, high-resolution, serene atmosphere, peaceful expressions, hd quality, natural look --ar 16:9 --s 700

A dramatic transformation of the sky, from bright blue to dark storm clouds, above a floating island. The dark clouds symbolize an ominous change, engulfing the once peaceful scene. Created Using: contrasting lighting, dynamic cloud formations, intense sky colors, sense of impending doom, digital art style, high contrast, hd quality, vivid style --ar 16:9 --s 700

An angry witch casting a powerful dark magic spell, her eyes filled with fury and revenge. Dark energy emits from her hands like lightning, targeting the peaceful island. Created Using: dark mystical energy, lightning effects, intense emotions, fantasy witch attire, dynamic pose, ominous background, hd quality, vivid style --ar 16:9

A goddess suddenly awakening from meditation, her eyes wide in shock as she senses the incoming magical attack. The background is a blend of serene nature and encroaching dark energy. Created Using: expression of surprise, defensive posture, blending of serene and dark elements, magical aura, high detail, fantasy art style, hd quality, natural look --ar 16:9

- 위와 같이 프롬프트를 미드저니에 입력하여 작업을 합니다. 동일한 프롬프트라 하더라도 작업할 때 마다 결과물이 달라지기 때문에 마음에 드는 이미지를 얻을때까지 여러번 반복해서 입력하는 것이 좋습니다.

- 위의 작업물들은 모두 미드저니 V6에서 작업하였고, 애니메이션 형태의 작업 결과물을 원한다면 Niji 5 또는 6 버전을 사용하시면 효과적입니다.

- 다음 페이지의 두 이미지는 동일한 프롬프트를 이용하여 Niji 6버전으로 작업한 결과물입니다.

A serene goddess meditating in her realm, surrounded by magical gardens and tranquil forests. The sky above is bright and clear, symbolizing peace and harmony. Created Using: vibrant colors, soft lighting, detailed foliage, fantasy art style, high-resolution, serene atmosphere, peaceful expressions, hd quality, natural look --ar 16:9 --niji 6

An angry witch casting a powerful dark magic spell, her eyes filled with fury and revenge. Dark energy emits from her hands like lightning, targeting the peaceful island. Created Using: dark mystical energy, lightning effects, intense emotions, fantasy witch attire, dynamic pose, ominous background, --ar 16:9 --niji 6

4. 그림과 이야기 내용 합치기

- 생성한 이미지와 내용으로 그림동화책을 만들기위해서 이미지와 내용을 합치는 작업을 합니다. 이 때 Canva와 같은 툴을 이용하면 편리합니다.(Canva를 사용하는 방법은 Chapter#6에서 참고하시기 바랍니다)

① 그림에 내용을 함께 넣는 경우

② 그림의 일부를 지우고 내용을 넣는 경우

③ 만들려고 하는 책의 크기도 함께 고려합니다,

가로와 세로의 크기를 동일하게 하는 경우

■ 그림동화책을 만들려고 하는 경우 정해진 틀 보다는 보는 대상과 내용, 이미지에 따라서 자유롭게 편집하는 것이 더 효과적입니다.

Chapter #6

모두가 좋아하는 컬러링북 만들기

Chapter #6 모두가 좋아하는 컬러링북 만들기

- 자 이제부터 미드저니로 컬러링 북을 만들어 보겠습니다. 컬러링 북은 창의적이고 편안한 방법으로 예술 작품을 만들 수 있는 작업입니다.
  컬러링북을 만들 때 가장 먼저 고려해야 할 사항은 그림 동화책을 만들때와 거의 동일합니다.

· 컬러링북을 사용할 대상
· 컬러링북에 사용 될 테마 또는 스타일
· 흑백모드

본격적으로 미드저니를 활용하여 컬러링북을 만들어 보겠습니다.

6.1 컬러링북을 만들기 위한 프롬프트 키워드

· 컬러링북
· 컬러링페이지
· 두들
· 컬러링북 사용 대상
· 윤곽선, 라인 아트(심플라인) 와 같은 단어를 추가하는 것도 도움이 됩니다

prompt: coloring book, flowers, simple line art

6.2 원하지 않는 요소 제거하기

--no colors

--no shadows

--no shades 등 원하지 않는 요소를 제거하라는 --no 매개변수를 사용하면 효과적입니다.

prompt: coloring page, beautiful flowers, simple line art --no colors

6.3 컬러링북 테마 정하기

- 테마는 컬러링북을 사용할 대상에 따라 일관성 있는 것이 좋습니다.
- 어린아이들을 대상으로한 컬러링북을 만들 경우, 디저트, 동물, 풍경, 공룡, 꽃, 마법, 요정, 바다, 우주, 도시유적 등 재미있는 테마를 사용하면 좋습니다.

prompt: coloring page for children, cute teddy bear in the universe, simple line --no colors

prompt: coloring page for children, beautiful winter castle, simple line --no colors

- 또한 어른들을 대상으로 한 컬러링북을 만들 경우는 기하학적 모양이나 패턴, 만다라, 젠탱글 등 패턴 위주의 테마로 컬러링북을 만들어도 좋을 겁니다.

prompt: coloring page, for adult beautiful **pattern mandala,** simple line --no colors

prompt: coloring page, basic zentangle pattern, simple line on white background --no color --s 150

prompt: coloring page for adult, zentangle pattern of flower garden, on white background --no color

Chapter #7

Canva로 책 완성하기

Chapter #7 Canva로 책 완성하기

7.1 표지 만들기

Canva에서 제공되는 표지 템플릿을 사용하여 만들거나 직접 디자인 한 이미지를 canva 템플릿을 활용하여 표지를 만듭니다. 아래는 canva에서 제공하는 어린아이들을 위한 그림동화책 표지 템플릿의 일부입니다.(동화책 외에도 다양한 책의 샘플을 찾을 수 있습니다)

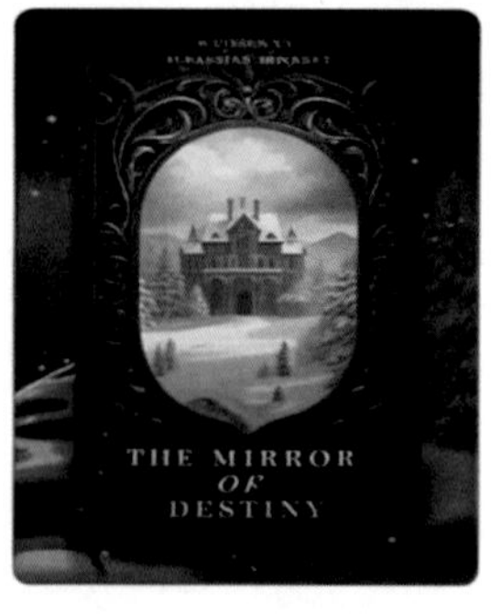

- 책 표지에는 다음과 같은 요소를 포함합니다.
  · 작가의 이름
  · 제목
  · 배경 이미지와 그래픽

본격적으로 표지 편집을 시작하겠습니다.

① Canva에 로그인합니다.

② 동화책 템플릿을 검색하여 마음에 드는 표지를 선택합니다.

③ 동화책 템플릿의 표지와 내지를 확인합니다.

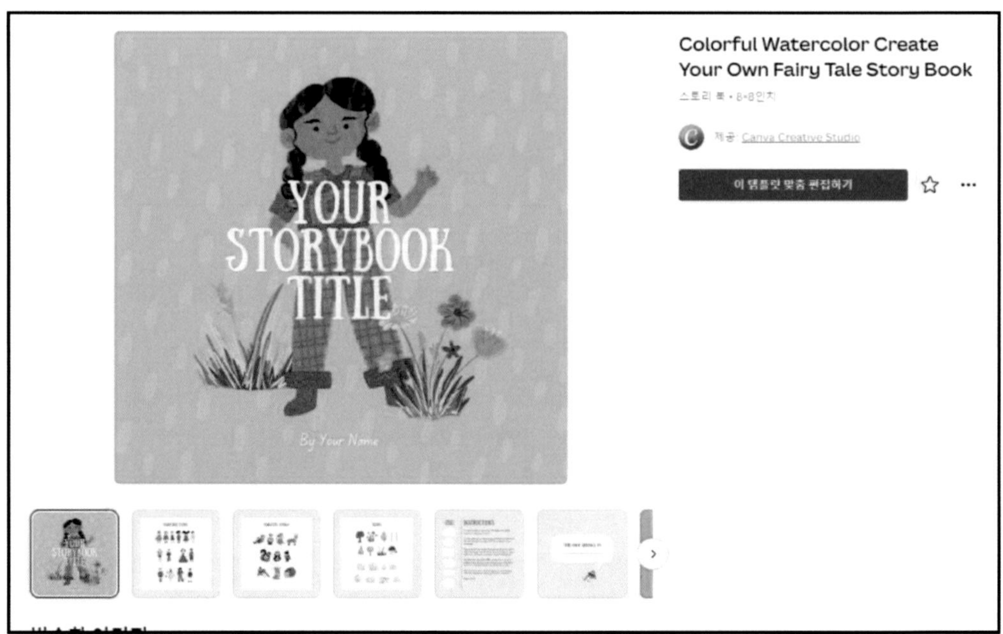

④ 선택한 동화책 템플릿의 내용과 유사한 템플릿도 함께 볼 수 있습니다.

⑤ 표지 편집을 시작합니다.

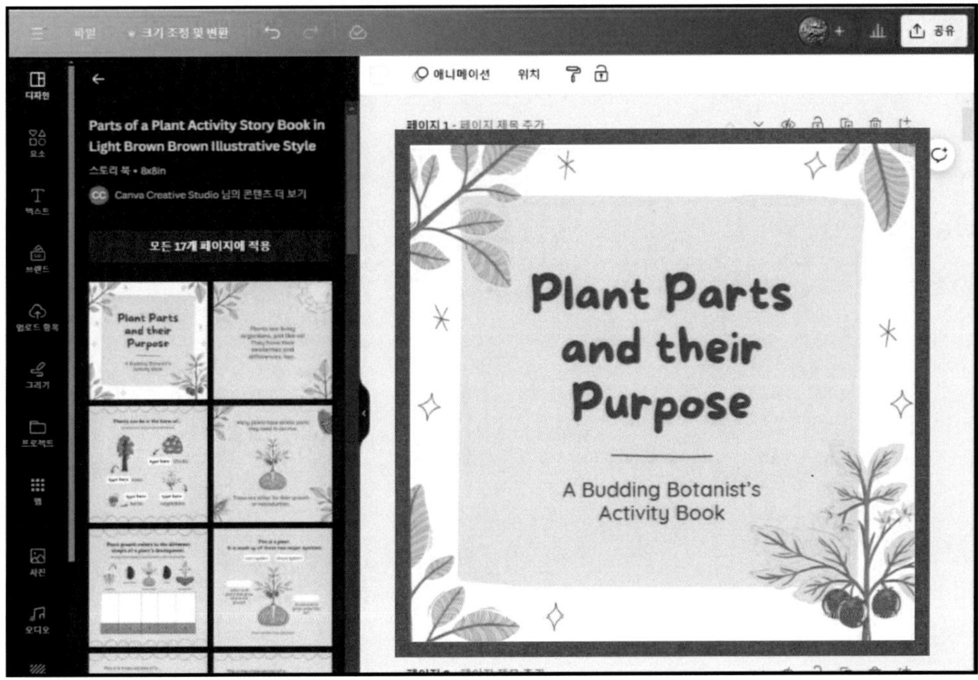

⑥ Canva에서 제공하는 텍스트와 요소를 활용하여 만들고자 하는 책의 내용과 이미지에 맞게 편집합니다.

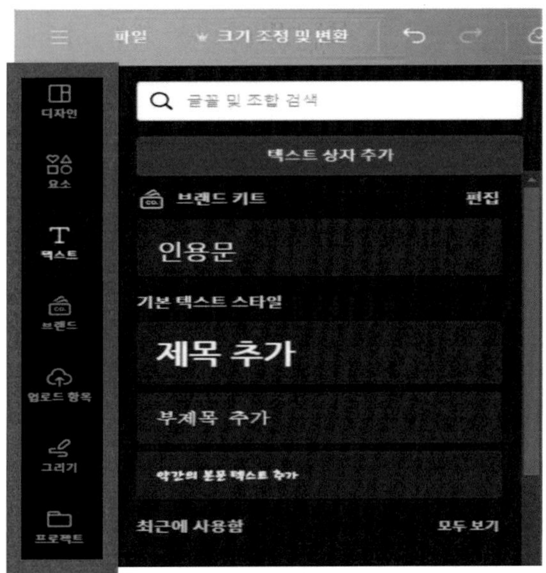

⑦ 표지 편집을 완료하였습니다.

■ 책 크기는 보편적으로 다음과 같습니다(가로 x 세로).

A4 사이즈: 21.6 cm x 27.9 cm B5 사이즈: 18.2 cm x 25.7 cm 포켓북 (미니북)사이즈: 10.2 cm x 15.2 cm 16절: 159 cm x 234 cm

■ 그림 동화책 또는 컬러링북 표지와 내지를 편집하기 전에 발행할 책의 크기를 결정하고 작업하시는 것이 좋습니다.

⑧ 템플릿의 내지를 편집합니다.

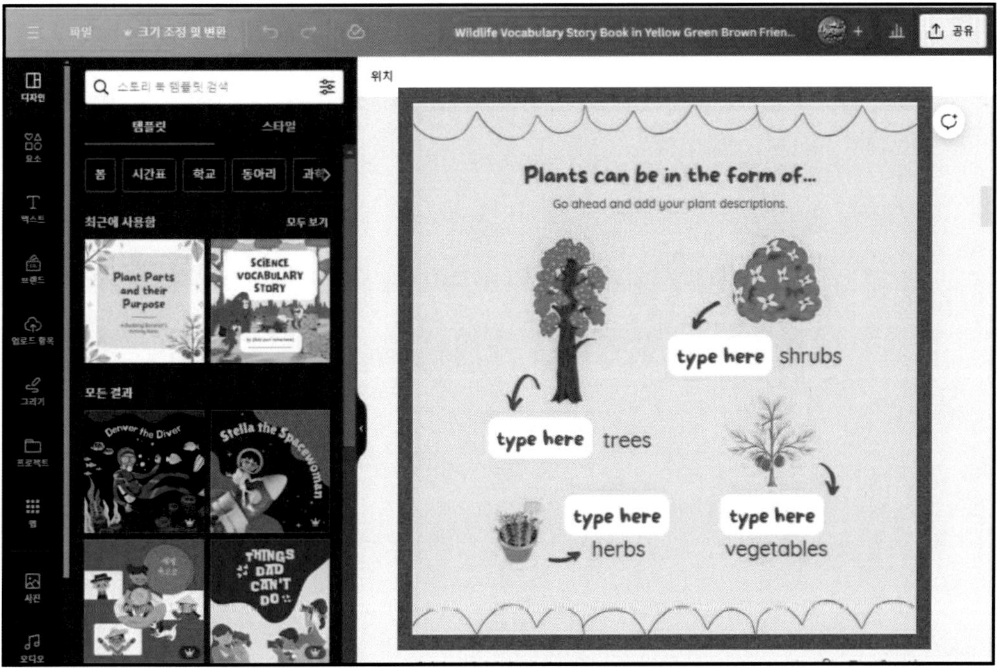

⑨ 만들어 놓은 내용들을 업로드 한 후 각 페이지에 넣습니다.

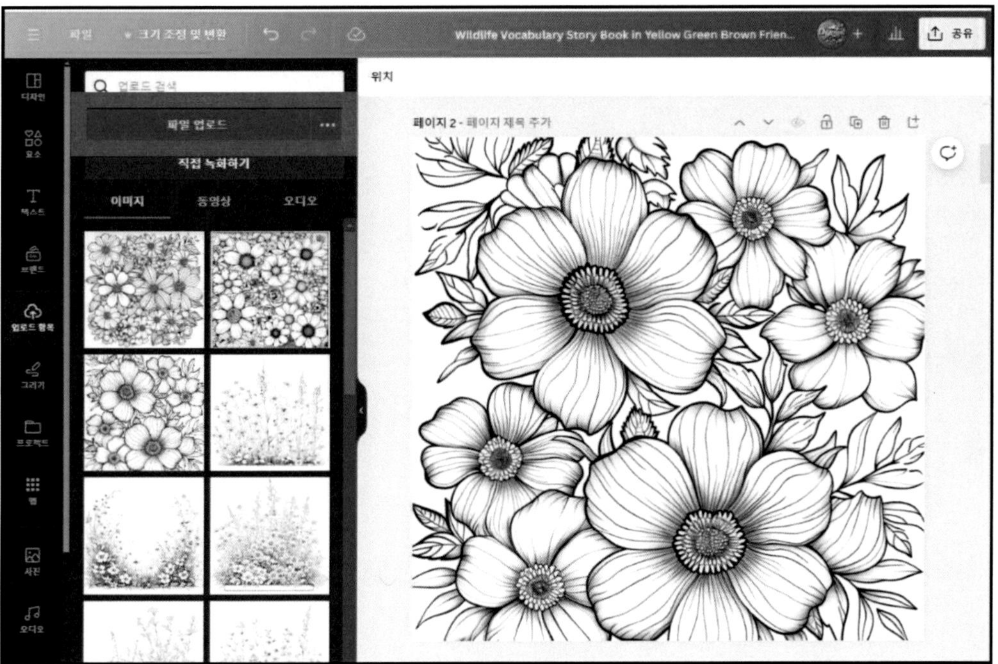

7.2 표지와 내지 편집시 고려할 사항

① 표지와 내용을 편집 시 인쇄제본 시 잘리는 부분을 고려하여 준비한 템플릿 크기보다 약 1~2mm정도 더 크게 내용을 넣는 것이 좋습니다.

② 이미지는 인쇄할 것을 고려하여 해상도를 높이거나 vector 이미지로 변환하여 작업하는 것이 좋습니다.

③ 표지와 내지 편집이 완료되었으면 저장을 하고 다음을 선택하여 다운로드 합니다.

· 파일유형: PDF인쇄 (PDF병합)

· 페이지선택: 모든 페이지

· 색상: RGB

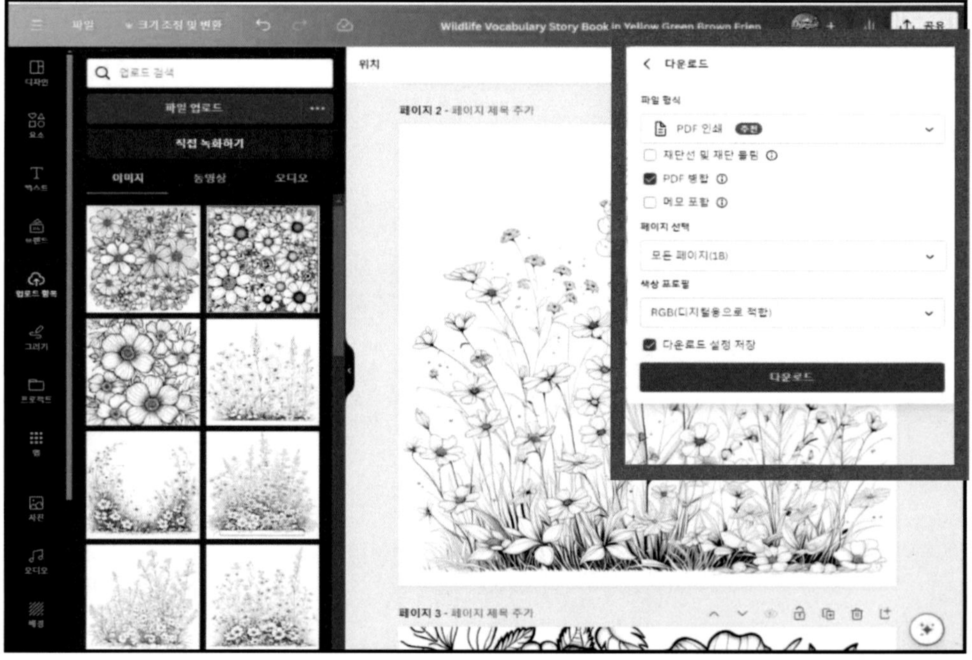

④ 작업물의 인쇄는 직접 프린트하거나 인쇄하는 곳에 의뢰하면 됩니다. 인쇄하는 곳에 의뢰하려면 미리 그 사이트를 방문하여서 크기와 수량에 따른 가격 및 제본 시 유의사항을 확인하고 지침에 맞춰서 인쇄를 의뢰하는 것이 효율적입니다.

⑤ 만약 작업물을 상업적으로 활용할 경우 텍스트나 이미지에 따라서 저작권과 관련된 문제가 발생하지 않도록 canva나 편집 툴에서 제공하는 요소들이 상업적으로 이용 가능한 요소들인지 확인하시고 사용하시는 것이 효과적입니다.

부록 미드저니 alpha 소개

드디어 미드저니를 playground, AdobeFirefly와 같이 discord가 아닌 web상에서도 이미지 생성이 가능해졌습니다.(현재까지는 이미지를 1,000장 이상 생성하면 사용 가능하며 점차적으로 오픈 예정입니다.)

1. https://alpha.midjourney.com/explore 로 들어가면 처음 보이는 화면입니다.

① 미드저니 알파의 메뉴를 볼 수 있습니다..

A: 나의 작업물을 프롬프트와 비율 그대로 볼 수 있습니다.

B: 나의 작업물을 프롬프트와 비율을 반영하지 않고 설정된 이미지 사이즈로 볼 수 있습니다.

C: 랜덤의 두 이미지를 비교하여 vote할 수 있습니다.

② Discord에서와 같이 프롬프트를 입력하여 이미지를 생성할 수 있습니다.

③ 첫화면에 보여지는 이미지는 랜덤 이미지이고 Hot한 이미지, 오늘, 주간, 월간으로 핫한 이미지를 볼 수 있고, 내가 좋아요 표시를 한 이미지를 볼 수 있습니다.

④ 처음 화면은 다른 사람들의 작품을 볼 수 있습니다.

2. 이미지 생성 화면입니다.

이미지사이즈, 모드, 모델버전, 스타일라이즈, 변형과 스피드를 정할 수 있습니다.
프롬프트만 입력하고 나머지는 클릭으로 할 수 있어 편리하게 이미지 생성이 가능해졌습니다.

3. 자신이 생성 작업한 이미지 화면입니다.

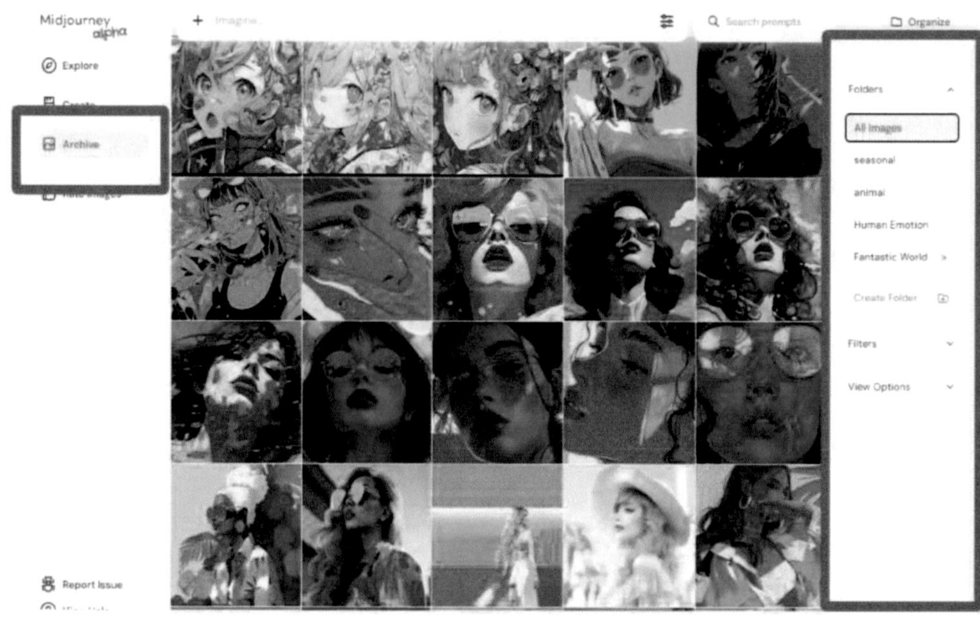

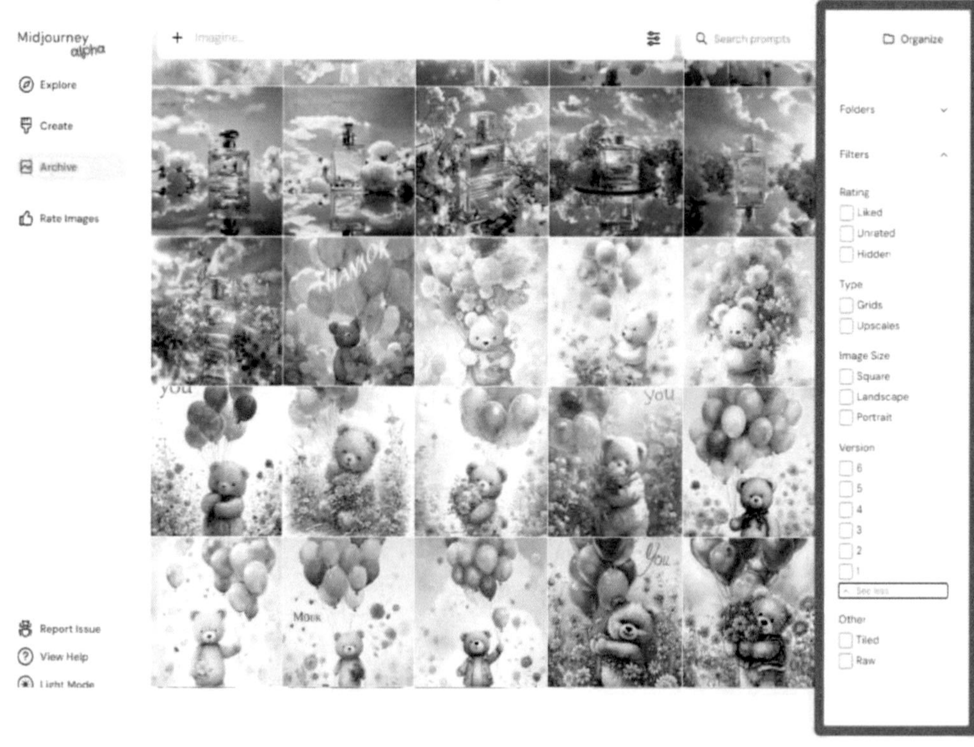

- 폴더를 생성하여 이미지를 분류할 수 있고, filter로 해당 이미지를 모아 볼 수 있고, 보기 옵션에서는 보여지는 이미지의 레이아웃과 크기를 정할 수 있습니다.

4. 또한 생성된 이미지 하나를 클릭하면 이미지의 프롬프트 등 모든 사항을 확인할 수 있고, Vary, Upscale, Remix, Zoom, Rerun, Vary Region 등 변화를 줄 수 있는 메뉴가 보입니다.

5. 직접 프롬프트를 입력하고 각 setting 값을 조정해 보았습니다.

① prompt: Create a heartwarming tall greeting card featuring a fluffy teddy bear hugging a bouquet of colorful balloons in a garden filled with vibrant flowers.

② 크기: 1:1

③ Mode: standard

④ Version: Niji6

⑤ Stylization: 100

⑥ Weirdness / Variety: 0

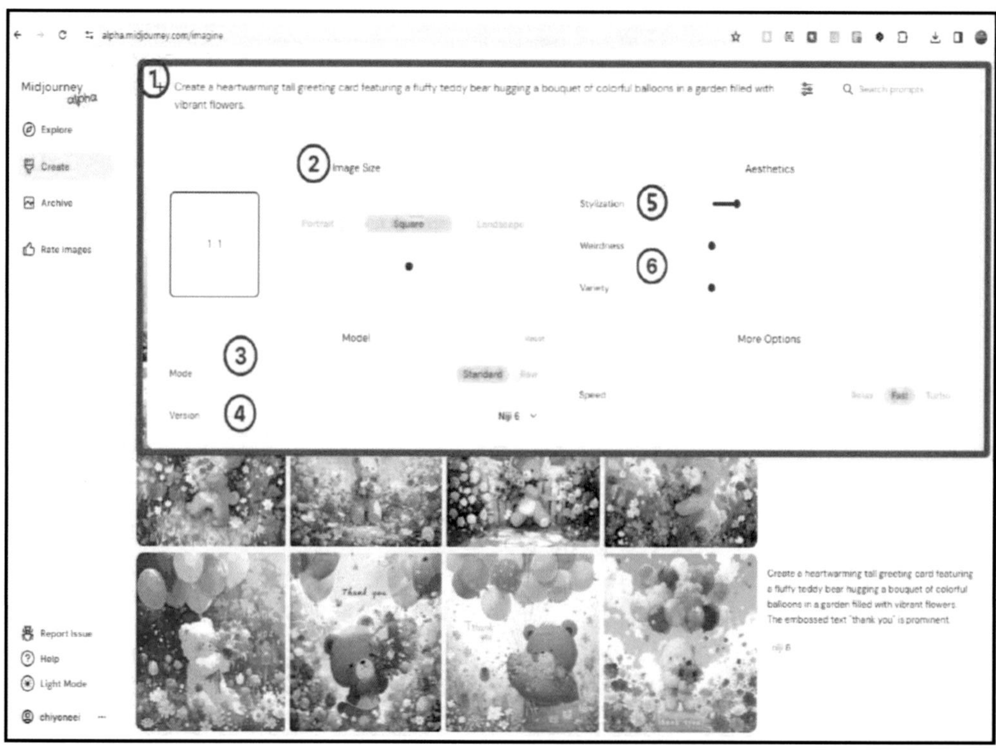

6. 이미지 생성 작업이 진행되고 있습니다.

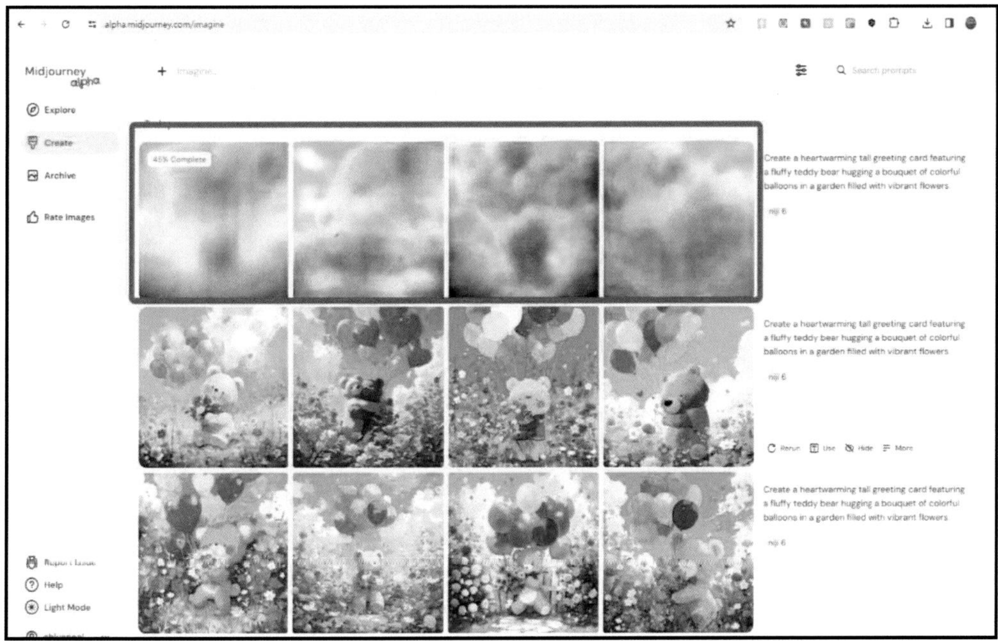

7. 이미지 생성 작업이 완료되었습니다.

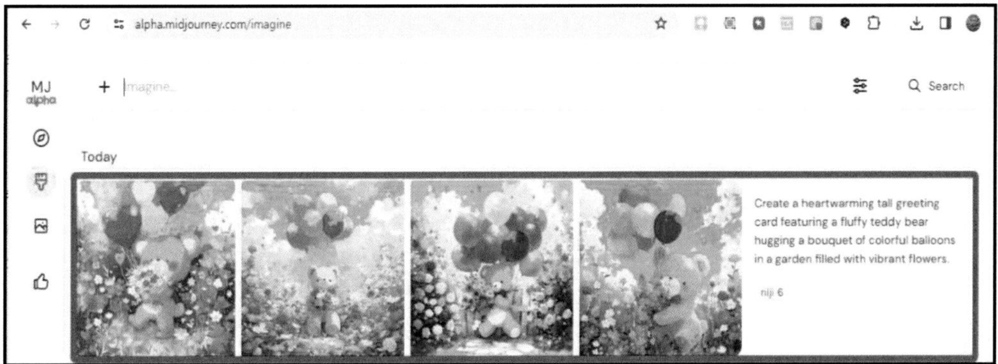

이렇게 우리는 미드저니 알파에서 '--'를 입력하지 않고 몇 번의 클릭만으로도 편리하게 이미지를 생성할 수 있습니다.

AI 아티스트의 마음가짐

저작권 존중	타인의 창작물이나 유명 크리에이터의 이름을 무단으로 사용하지 않으며, 모든 창작자의 권리를 존중합니다.
리스팩트 표현	저작권이 만료된 화풍을 사용하더라도 오마주나 패러디를 통해 원작자에 대한 존경을 표현합니다.
개인정보 보호	본인의 동의 없이 실제 인물의 이미지를 사용하지 않음으로써, 개인의 사생활과 존엄성을 보호합니다.
투명성 강조	AI를 활용한 작품임을 분명히 밝혀, 진정성을 유지하고 오해를 방지합니다.
창의적 개방성	AI와 함께하는 새로운 작업 방식을 통해 예상치 못한 결과물에 대해 열린 태도를 가지고, 다양한 아이디어와 접근 방식을 탐구합니다.
학습과 성장	기술의 발전과 한계를 이해하고, 새로운 도구와 기법을 학습하여 창작 능력을 지속적으로 향상시킵니다.
사회적 책임	창작물이 사회에 끼칠 영향을 고민하고, 긍정적인 변화를 위한 콘텐츠 제작에 힘씁니다.
함께 성장	빠르게 발전하는 AI 시대에 정보를 독점하며 혼자서 앞서가기보다는 동료 아티스트와 협력하며 서로 도와 공동으로 성장하는 것을 중시합니다.

책 정보

AI 아티스트 가이드북:

미드저니(Midjourney)의 정석

발　행 | 2024년 3월 22일

저　자 | 다라, 지영, 토리영, 따능이, 루미나린, 미디, 업글아이, 이도혜, 힐토, DAMe

펴낸이 | 한건희

펴낸곳 | 주식회사 부크크

출판사등록 | 2014.07.15.(제2014-16호)

주　소 | 서울특별시 금천구 가산디지털1로 119 SK트윈 타워 A동 305호

전　화 | 1670-8316

이메일 | info@bookk.co.kr

ISBN | 979-11-410-7757-0

www.bookk.co.kr